LES FABULEUX EMPIRES DISPARUS

LES PAYS ET LES HOMMES

Dans la même collection:

Sur les traces des derniers nomades

L'Univers fermé des grandes îles du monde

A paraître:

Ibérie, péninsule de légende

LES PAYS ET LES HOMMES

Les Fabuleux Empires disparus

Textes français de :

MICHÈLE CAUSSE
BERNADETTE ENGELMAN
et NICOLE MARION

HACHETTE

LES FABULEUX EMPIRES DISPARUS

Sommaire

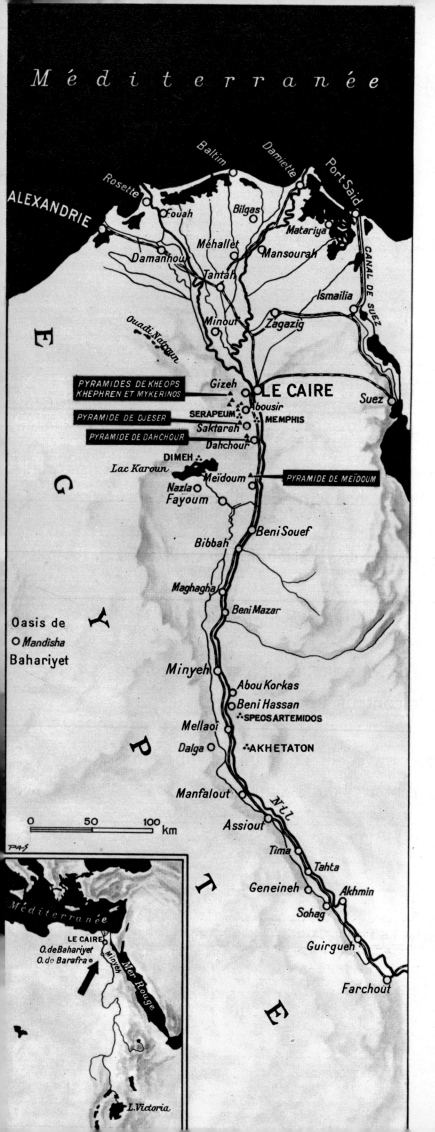

◀ L'Egypte d'aujourd'hui a une superficie de 1 025 000 kilomètres carrés et une population d'environ 25 000 000 d'habitants. Cette étude est consacrée aux monuments qui témoignent encore du vieil empire des pharaons de la Basse-Egypte (de 3300 à 2200 ans avant Jésus-Christ). Cet empire s'étendait entre le 28e et le 30e degré de latitude nord, de la ville de Minyeh à Gizeh, près du Caire.

▶ De la pyramide de Khéphren, fils et successeur de Khéops, cette route pavée d'énormes dalles de pierre descend doucement vers le Nil jusqu'à un temple de granit rose et d'albâtre, où les prêtres offraient des holocaustes aux dieux devant les nombreuses statues des pharaons.

SPHINX ET PYRAMIDES
DE LA BASSE-EGYPTE

INCONTESTABLEMENT, peu de fleuves au monde ont exercé une fascination aussi grande et aussi durable que le Nil. Le Gange et le Houang-Ho ont contribué à la naissance de civilisations grandioses, mais de très longues distances et des langues différentes ont empêché leur influence de se propager jusqu'en Occident et notre patrimoine culturel n'en est pas imprégné. Ce que le Tigre et l'Euphrate, plus proches de la Méditerranée, ont laissé à la mémoire collective est plus important que les découvertes faites à ce jour par la pioche des archéologues. Au contraire, sur les rives du Nil, non loin de cette mer qui vit naître les civilisations les plus durables, depuis les temps préhistoriques, les hommes, toujours présents, de plus en plus nombreux et de mieux en mieux organisés, n'ont cessé de progresser. Après avoir été le berceau d'une culture originale — celle des pharaons — variée, riche, multiple dans ses aspects, la vallée du Nil fu le refuge de la pensée et de la vie helléniques; elle accueillit les premiers pas du christianisme et en garde les plus anciennes traces; elle reçut et adopta l'Islam. La religion de Mahomet y développa sa splendeur alors qu'en Arabie, son pays d'origine, elle avait eu des difficultés pour imposer son autorité.

Au temps des grandes explorations, le Nil joua encore un rôle: les routes légendaires menant d'Occident vers

◄ *Des grosses barques sillonnent depuis des millénaires les eaux du Nil, la grande voie d'eau qui traverse l'Egypte sur plus de 1 000 kilomètres. Déjà, au temps des pharaons, des barques servaient au transport des pierres et du granit destinés à la construction des monuments.*

▼ *La sakieh est une sorte de noria qui sert à recueillir l'eau du Nil dans les godets dont le contenu se déverse dans de petites rigoles qui vont jusqu'aux cultures. La roue est généralement actionnée par des buffles.*

l'Afrique Noire et l'Inde furent retrouvées et reprises, le long du fleuve. Plus tard, l'ouverture du canal de Suez ne fut que la résurrection de l'une des plus anciennes voies de la civilisation, un hommage rendu au passé en quelque sorte.

Sans le Nil, l'Egypte ressemblerait à la Libye et au reste du Sahara; quelques tribus de nomades, guerriers et bergers et, peut-être, un petit nombre de sédentaires, esclaves des Bédouins, cultivant certains légumes à l'ombre des palmiers d'une oasis. Mais l'Egypte a toujours offert, à travers les siècles, le spectacle, en apparence paradoxal, d'une population très dense au cœur du désert.

L'Egypte, c'est-à-dire le désert et le fleuve qui le parcourt, existe depuis les temps immémoriaux du Pliocène où les immenses marécages qui recouvraient cette région furent soumis à une forte évaporation qui asséchaa de nombreux cours d'eau, laissant sur la terre des sédiments de boue et de sable. Les eaux des hauts plateaux d'Abyssinie et de Nubie se rencontrèrent, se mêlèrent, reçurent celles des massifs de l'Uganda et formèrent un grand fleuve, une artère qui apporta la vie et le bien-être aux communautés riveraines. Le Delta date également de cette période.

On ne sait pas exactement d'où vient le nom du Nil, d'une origine relativement récente, mais, de toute façon, antérieure à la conquête arabe. On ne doit donc pas se référer, comme le proposait Abd el-Baghdach, au verbe arabe *neil*, qui signifie « donner quelque chose à quelqu'un », malgré les nombreux « dons » du Nil. Ce nom existait déjà au temps de Diodore de Sicile, lequel l'attribuait à un souverain de Memphis qui se serait appelé Nileos et aurait fait construire un grand nombre de canaux d'irrigation. Il est plus probable qu'il s'agit du terme grec *Neilos* (de *neein ilyn* = déposer de la boue). Les Grecs, toutefois, appelaient ce fleuve Chrysonoas. Il est très difficile de trouver d'autres sources, à moins que l'on n'évoque le terme phénicien Nelus qui signifie « fleuve ». Les Egyptiens des temps antiques ignoraient ces noms. Dans les inscriptions de l'époque, le fleuve est représenté par des hiéroglyphes de la forme *hpr*, que l'on peut lire *hepr* ou *heper* et, parfois, par *hapi* ou *hap*. Depuis la domination arabe, il est simplement appelé *Bahr*, c'est-à-dire « mer, grand lac, grand fleuve ».

Sur ce fleuve, nous l'avons dit, s'est développée l'histoire d'un des plus grands empires que le monde ait connus, un empire qui a fourni des bases durables au progrès des arts, des sciences, de la littérature, de la religion. L'histoire d'Egypte est celle du Nil. Elle se divise en diverses périodes que l'on peut identifier aux différentes régions traversées par le fleuve ou, plutôt, que le fleuve crée et conditionne. Nous avons ainsi une Basse-Egypte, où se manifestèrent les premiers facteurs de puissance de l'empire des pharaons, une Haute-Egypte qui connut le maximum de la splendeur des dynasties, la Nubie qui conserve de précieux secrets de civilisation préhistorique et médiévale et, enfin, le vaste labyrinthe compliqué des sources du fleuve.

Dans ce chapitre nous examinerons les origines de la

Les origines du plus vaste empire de l'Antiquité

civilisation pharaonique. Nous aurons donc pour scène la Basse-Egypte, c'est-à-dire les territoires compris entre la bande de terre irriguée par le Delta, de l'embouchure jusqu'à Minyeh sur le 28e parallèle. Immédiatement au sud de cette localité se trouve le site archéologique de Béni Hassan et son intéressante nécropole. C'est là la véritable frontière des deux pays, placée à l'étranglement de la vaste dépression rectangulaire, dont le haut va de la pointe du Delta, près du Caire, à travers les anciens marécages de Fayoum, aujourd'hui asséchés et cultivés, à l'oasis de Bahariyeh; et le bas, de la limite septentrionale de l'oasis de Farafra au grand plateau qui domine le fleuve, à l'est, dans sa course vers le Caire.

Le Nil et le désert sont les deux aspects en complet contraste de la terre égyptienne. Le grand fleuve navigable, sur les rives duquel se groupe la majeure partie de la population (les habitants du désert sont à peine 100 000) est la source de vie des Egyptiens, de nos jours comme il y a 5 000 ans. La zone jadis irriguée et inondée périodiquement par les crues a une superficie d'environ 26 000 kilomètres carrés.

*De tout l'ensemble des monuments qui complétaient
la pyramide de Djéser, à Saqqârah, il ne reste que quelques
vestiges, dont ces splendides colonnes
du grand enclos rectangulaire.*

Les dynasties égyptiennes commencent évidemment
avec des personnages mythiques et légendaires. Tout
d'abord, régnèrent les dieux: Rê, Thoth et Osiris, appelés
rois cosmogoniques tandis que le fils d'Osiris, Horus, fut
le premier lien entre les dieux et les hommes. Horus est
un dieu-homme mais il est représenté avec une tête de fau-
con. Dans la période où naissent des légendes le concernant, un nouveau peuple apparaît en Basse-Egypte. Ces
populations ont justement pour emblème une tête d'éper-
vier et prennent le nom de Shemsu-Horus, c'est-à-dire
« partisans ou suivants d'Horus ». Ce dieu constitue donc
le trait d'union entre le mythe et l'histoire et on lui attribue l'organisation politique et sociale des dynasties hélio-
politaines, d'où naîtra l'Ancien Empire. Les tribus commencent à se grouper en villages populeux, les premières
villes dignes de ce nom furent fondées; l'une d'elles, Memphis, sera la première capitale.

Si l'on se fie à la légende, Memphis aurait été construite
sur une terre que Ménès, fondateur de la Iʳᵉ dynastie, récu-
péra en canalisant les eaux du Nil pour les faire couler

Les premières dynasties
des pharaons

*Porte d'entrée du mastaba (tombe) de Ti,
avec, au fond, la pyramide de Djéser.*

La pyramide de Meidoum à moitié ensevelie dans le sable, au sud de Saqqârah, marque la transition entre la pyramide à gradins édifiée par Djéser et les pyramides colossales de Gizeh.

▶ *Saqqârah s'étend sur le bord du plateau où commence le désert. L'ensemble des monuments (540 mètres sur 270 mètres) comprenait un temple funéraire et l'enclos du taureau sacré Apis.*

plus à l'est. Mais cette légende relative à la construction de Memphis par Ménès peut évidemment susciter quelques doutes pour l'historien. Les archéologues trouvent aujourd'hui dans ces lieux de nombreux vestiges datant du temps de la Ire dynastie (vers 3300-3000 avant Jésus-Christ), mais ils n'ont jamais rien exhumé qui appartenait à une période antérieure. La découverte d'un grand nombre de ruines d'une période prédynastique, dans les collines de Mokkattam, de l'autre côté du fleuve, contraste singulièrement avec l'absence totale de vestiges de cette même époque dans la région de Memphis. On ne peut encore déterminer avec précision si Memphis a été fondée par Ménès pour être la capitale du royaume ou simplement une ville fortifiée qui serait devenue, vers le début de la IIIe dynastie, le siège du gouvernement.

Comment était composée la population sur laquelle régna ce premier souverain? Des pâtres chamites formaient les couches les plus anciennes.

Au cours des premiers siècles de cette révolution — incontestablement l'une des plus importantes dans l'histoire du monde et qui eut une énorme portée économique et sociale — on pensa à irriguer avec méthode et mesure les terres fertiles. Plus de néfastes inondations périodiques, mais on établit un réseau de canaux distribuant parcimonieusement l'eau dans les champs. Ce travail fut accompli dans chacune des régions du vaste territoire par des groupes de tribus, réunies en *nomes*, c'est-à-dire en collectivités qui devinrent ensuite les provinces de l'empire pharaonique et constituèrent le premier pas vers l'unification du pays.

Déjà, à cette époque, les rivalités étaient vives entre le Nord et le Sud. Le premier pharaon, Ménès, celui qui, selon la légende, établit sa capitale dans la Basse-Egypte, à Memphis, était originaire de This, une localité de la Haute-Egypte. La capitale du royaume du Sud était Nekheb. Evidemment, le pharaon put considérer Memphis comme étant le lieu le plus adéquat pour gouverner la Basse et la Haute-Egypte, car de là il lui était possible de garder la main sur les peuplades soumises du Nord. Ménès plaça des gouverneurs à la tête des nomes ou provinces, mais peu à peu cette charge devint juridiquement héréditaire pour certaines familles. Ainsi se forme une classe dirigeante provinciale, dont la puissance toujours grandissante finit par menacer l'autorité du pharaon, si bien qu'à la fin de la VIe dynastie, elle fut en grande partie responsable de la chute de la monarchie régnante. Avec la seconde dynastie de pharaons s'achève la première période de l'histoire égyptienne, appelée traditionnellement période thinite, car les pharaons de ces deux dynasties étaient originaires de la région de This (ou de Thinis), près d'Abydos. La IIIe dynastie et surtout le pharaon Djéser inaugurèrent la période memphite. La capitale lui donna son nom comme elle donnait son luxe et sa puissance à la Basse-Egypte. Cette période dura trois siècles et demi et vit la conquête de la Nubie et l'organisation intérieure du pays: la pyramide à degrés de Saqqârah, tombe de Djéser et première des grandes pyramides, date de cette époque. Les trois autres: la grande pyramide de Khéops, celle de Khéphren et celle de Mykérinos, appartiennent à la IVe dynastie et sont situées à Gizeh.

La majeure partie des riches collections d'antiquités égyptiennes qui se trouvent dans les différents musées a été prélevée dans les tombes. Les plus anciennes proviennent des pyramides-mausolées des quatre grands pharaons: Djéser, Khéops, Khéphren et Mykérinos. Il est resté peu de chose des maisons dans lesquelles le peuple vivait ou des palais dans lesquels il travaillait, car les constructions étaient surtout faites avec des briques de boue, du bois, du plâtre et s'élevaient à même le sol. Les tombes, au contraire, avaient de solides fondations et, dès les premières dynasties, elles furent construites presque entièrement avec de la pierre. Mais le nombre des vestiges parvenus jusqu'à nous ne représente qu'une partie des édifices originaux, car les générations successives ont délibérément porté atteinte aux monuments de leurs prédécesseurs pour se procurer les matériaux nécessaires à leurs propres constructions. Dans un pays où la pierre d'excellente qualité se trouve en abondance, il semble étrange que les gouvernants et les classes dirigeantes se soient contentés de passer leur vie dans des édifices inférieurs en qualité aux tombes qu'ils s'étaient préparées. Le point de vue de l'Egyptien ancien était différent du nôtre: sa maison devait servir un nombre d'années limité, mais la tombe, qu'il appelait « citadelle de l'éternité », devait durer toujours.

Djéser inventa la pyramide « citadelle de l'éternité »

◄ *A Memphis, ancienne capitale de la Basse-Egypte, sur la rive gauche du Nil, ce magnifique sphinx d'albâtre, de 8 mètres de haut, fut découvert par Sir Flinders Petrie. Il faisait partie de l'ensemble monumental qui constituait la résidence des pharaons.*

Sur un décor de dunes s'élève la pyramide de Djéser, la première dont l'histoire se souvient. Haute de 62 mètres, elle est formée de 6 gradins. Le pharaon Djéser, fondateur de la IIIe dynastie, vécut aux environs de 2800 avant Jésus-Christ.

Déjà au début de l'ère dynastique, les pharaons et les nobles recouvrirent leur chambre tombale d'une superstructure de briques de boue cuites au soleil, afin que cette boue ne risque pas d'être désagrégée par les éléments naturels. Ces tombes furent appelées mastabas (« bancs » en arabe), car lorsqu'elles étaient partiellement recouvertes de sable, elles ressemblaient à la banquette où les Egyptiens modernes s'assoient à l'entrée de leurs maisons pour prendre le café avec leurs amis. Le mastaba le plus ancien se trouve à Saqqârah et appartient à Aha, second pharaon; c'est un puits bas, rectangulaire, recouvert d'un toit de bois et divisé en cinq compartiments séparés par des cloisons. Ces compartiments étaient dotés d'une superstructure en brique, composée de vingt-sept cellules où l'on déposait les jarres de vin, les instruments de chasse et autres objets nécessaires à la vie d'outre-tombe. Les mastabas de ce genre sont des répliques fidèles des maisons de l'époque. A partir de la IIe et de la IIIe dynastie, on utilisa pour des superstructures une masse solide de détritus recouverte de briques. C'est seulement sous la IVe dynastie que fut introduite la pierre, dont l'usage fut réservé aux monuments royaux. C'est un calcaire d'excellente qualité extrait à Tourah, dans la colline de Mokkattam, à l'est du Caire. Durant cette période, les mastabas de brique ou de pierre présentent certaines caractéristiques nouvelles: ils se composent d'une seule pièce avec une niche destinée au sarcophage.

Le pharaon Djéser (2800 ans environ avant Jésus-Christ), grâce au génie de son premier ministre Imhotep, introduisit une innovation importante en se faisant construire la première pyramide à degrés, ou, plutôt, le premier grand mastaba à gradins. Imhotep, homme politique, médecin, astronome et architecte, a érigé cette extraordinaire bâtisse, haute de 62 mètres environ — aujourd'hui presque intacte — en ajoutant six énormes gradins superposés à un mastaba précédent de 7,50 m de côté. Cette nouveauté architecturale eut tant de succès que les pharaons de l'Ancien Empire rivalisèrent ensuite pour avoir la plus belle et plus grande pyramide.

Dans le mastaba de Tî, haut fonctionnaire de la cour sous la Ve dynastie, de surprenantes peintures murales se sont parfaitement conservées: elles représentent des scènes du travail agricole, artisanal, de navigation, de pêche et de chasse.

L'endroit choisi par Imhotep est un haut plateau orienté vers l'emplacement de l'antique Memphis. Un peu au nord se trouve le grand cimetière des mastabas de la Ière et de la IIe dynastie. Ce qui reste aujourd'hui de ces constructions est bien peu de chose par rapport aux monuments existant à Saqqârah au temps de Djéser. La pyramide à degrés se dressait au centre d'une vaste enceinte rectangulaire en maçonnerie, dont les côtés de 540 et 270 mètres symbolisaient les murailles de Memphis, élevées au temps de Ménès. Derrière la pyramide, se trouvait un grand temple funéraire et, tout près de ses murs, un autel. De l'autre côté, devant la pyramide, où il ne reste aujourd'hui qu'une grande cour brûlée par un soleil implacable, s'étendait un espace vide où le pharaon devait exécuter un rite en l'honneur du taureau sacré Apis, afin d'obtenir une vigueur nouvelle. Ce rite consistait en une course que le souverain devait accomplir afin de prouver qu'il avait reçu du taureau, particulièrement engraissé, un surcroît d'énergie. Ces taureaux, que les prêtres gardaient dans le temple

Les monuments de Saqqârah et les ruines de Memphis

de Memphis, étaient, à leur mort, embaumés et ensevelis dans un immense hypogée à niches appelé Sérapéum, où vingt-quatre animaux enfermés dans de lourds sarcophages de granit furent découverts en 1851 par l'archéologue Mariette.

La région, si l'on exclut la pyramide à degrés de Djéser, n'a aujourd'hui aucun rapport avec ce qu'elle dut être au temps des pharaons. Le désert s'est attaqué aux monuments et a envahi les ruines des grandes colonnades; çà et là quelques splendides colonnes à contrefort, que les archéologues appellent protodoriques, à cause de leur étrange ressemblance avec celles des temple grecs archaïques, tiennent encore debout. Des restes de colonnades ou d'une salle hypostyle constituent une oasis d'ombre et de fraîcheur pour le voyageur qui a atteint les bords du Nil.

Les entrées des mastabas apparaissent presque entièrement bloquées par des montagnes de sable et de détritus. Un des plus beaux et des plus riches tombeaux est celui de Tî (Ve dynastie) important fonctionnaire de la cour et homme très fortuné. En y pénétrant on remarque tout de suite les splendides bas-reliefs et des peintures aux magnifiques couleurs bien conservées représentant des scènes de la vie quotidienne; des hommes occupés aux travaux des champs ou de l'artisanat, des paysans apportant des cadeaux et des présents, et l'épouse de Tî elle-même au milieu de son élevage d'oies. On voit aussi des menuisiers, des commerçants et des marins qui se querellent, pêchent ou chassent les hippopotames.

Non loin de là sont les mastabas de Ptah-Hotep et de Mérérouka, accessibles et en bon état de conservation. En revanche, la grande tombe de Djéser, cette pyramide à degrés qui se détache au milieu des ruines dans l'immensité du désert, ne peut être visitée.

En face de ce plateau et de ces monuments, dans la plaine fertile où de nombreux palmiers se balancent, se trouvent les ruines de Memphis, l'ancienne capitale. Dans cette ville, s'élevait un sanctuaire du nom de Hâït-Ka-Ptah qui désignait la ville elle-même (elle se nommait aussi Mennacri ou Mennefri), et c'est de là que viendrait le mot Egypte. Du temps d'Hérodote, on disait déjà que Memphis avait été fondée par le premier pharaon, Ménès, et le souvenir de sa construction se confondait avec celui des grands travaux hydrauliques de régularisation du cours du fleuve attribués également à ce souverain.

Dès que l'on atteint l'oasis, après avoir emprunté la route poudreuse qui longe le Nil, on ressent immédiatement une impression de repos, de paix et de silence. Les palmiers sont très hauts, leurs troncs minces et droits et les chaumières de boue et de paille contrastent avec les tentes noires des Bédouins. Le drapeau de la République Arabe Unie flotte sur un mât devant une école très moderne, dont les actuels habitants de Memphis sont particulièrement fiers.

Au milieu d'un espace vert de l'oasis, un splendide sphinx d'albâtre de plus de huit mètres, orgueil de Sir Flinders Petrie qui le découvrit en 1912, donne une note imprévue. Non loin de là se trouve un colosse géant représentant Ramsès II, taillé dans un bloc de calcaire, et qui mesurait une quinzaine de mètres de hauteur avant qu'il ne subisse des dommages dans sa partie inférieure.

Groupe représentant le nain Seneb, fonctionnaire de la cour sous la Ve dynastie, avec sa femme et ses fils. On remarquera le réalisme et la vivacité d'expression de ces sculptures qui se trouvent au musée du Caire.

Tête de la statue de Kha-Ajer découverte à Saqqârah et attribuée à la IVe dynastie. Elle se trouve maintenant dans le grand musée du Caire.

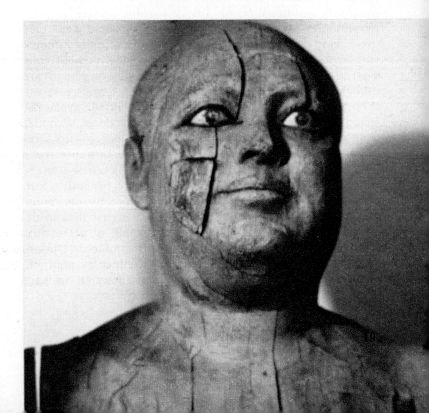

Memphis fut donc la capitale de l'Egypte jusque sous le règne de Djéser et connut des périodes de grande splendeur; sa renommée gagna toute la Méditerranée, comme celle de Thèbes quelques siècles plus tard. Les souverains de la IVe dynastie n'en tinrent pas compte et établirent leur résidence à dix-huit kilomètres au nord, devant le plateau de Gizeh où s'élèvent leurs pyramides. A mi-chemin entre Memphis et Gizeh, à Abousir, se trouvent les pyramides des rois de la Ve dynastie. Ils redonnèrent à la vieille capitale son ancienne splendeur et Memphis traversa de nouveau une période de grande puissance.

L'histoire et l'archéologie de la Basse-Egypte sont rassemblées ici, dans les quelques kilomètres qui séparent Mazghouna de Gizeh, sur la rive gauche du Nil, au bord du plateau désertique au pied duquel s'étendent des champs cultivés, périodiquement inondés par le Nil. Mais même beaucoup plus tard, sous le règne de Ramsès II (1301-1235 avant Jésus-Christ), l'ancienne capitale redevint une fois de plus le cœur de l'Empire. Ce fut une véritable renaissance pour Memphis. L'un des fils de Ramsès II, Khâmouast, contribua à embellir la ville.

La décadence de Memphis qui, au cours des temps, avait connu des vicissitudes diverses, fut l'une des conséquences de la fondation et de l'expansion rapide d'Alexandrie. La vieille capitale de l'Empire ne conserva plus alors que son caractère de capitale religieuse: des délégations de tous les temples de la Haute et de la Basse-Egypte s'y rendaient en certaines circonstances. Même à l'époque romaine, les Ptolémées se faisaient couronner dans le grand temple de Ptah. Parmi les nombreux lieux de culte de Memphis, il en est plusieurs qui provoquèrent la stupeur et l'admiration des voyageurs antiques, en particulier celui dédié au taureau sacré Apis et celui de Ptah devant lequel s'élève la statue de Ramsès II.

Les pyramides de Gizeh caractérisent la IVe dynastie. Aujourd'hui encore, non loin du Caire, au bout d'une longue et belle allée appelée Shari-el-Ahram, elles dominent la ville et le fleuve par-delà les terrasses creusées au cours des siècles par les eaux des crues. Avant qu'aucune vraie pyramide géométrique ne fût construite, quatre tombes pyramidales du moins, outre celle de Djéser, furent élevées, dont deux à Zâouijet-el-Aryân, à quelques kilomètres au sud de Gizeh. La plus ancienne, généralement considérée comme une pyramide à couches superposées, avait probablement une superstructure à degrés, mais elle est si endommagée qu'il est difficile d'en déterminer avec précision la forme originale. La construction de la seconde, connue elle aussi comme une pyramide à degrés, fut sans doute abandonnée au niveau inférieur de la superstructure. On avait toutefois creusé totalement la partie souterraine et commencé à construire la chambre funéraire. Sur certains blocs de pierre des fondations de cette pyramide inachevée, les hommes des carrières ont inscrit le nom de Nebka. Cette partie souterraine ressemble aux travaux effectués sous la IIIe dynastie, pour la pyramide de Djéser. On a donc supposé que la tombe était destinée au pharaon Nebka, qui vécut à cette époque, mais dont on ne sait rien, excepté le nom.

Les colosses de la petite oasis de Gizeh

Une jeune mère égyptienne avec son enfant près des pyramides de Gizeh qui, à elles seules, suffiraient à assurer la renommée de l'Egypte. A droite le Sphinx de Khéphren, tourné vers le désert, royaume incontesté des Bédouins et des dromadaires.

La troisième pyramide est celle de Dahchour un peu au sud de Memphis, sur la rive gauche du Nil. Probablement prévue pour être une vraie pyramide, elle ne fut pas terminée comme telle: à un peu plus de la moitié de sa hauteur, l'angle de son plan incliné diminue soudain. De ce fait, elle a été surnommée « fausse pyramide », « pyramide tronquée » ou « pyramide courbe ».

A environ cinquante-cinq mètres au sud, il est une seconde pyramide beaucoup plus petite, dont les superstructures en ruine sont en partie enfoncées dans le sable, et l'on ne peut savoir s'il s'agit d'une pyramide authentique.

Si la date qui lui a été attribuée est exacte, la pyramide tronquée de Dahchour est le premier exemple de ce qui allait devenir le dessin classique d'un ensemble pyramidal de l'Ancien Empire, dont les éléments essentiels étaient souvent la pyramide elle-même, construite sur la partie la plus élevée du terrain, le temple funéraire, la voie qui conduisait à la tombe et un édifice situé à la limite des terres cultivées, non loin du fleuve, appelé souvent « temple de la vallée ». On creusait un canal allant du fleuve au temple pour permettre au cortège funèbre, composé de barques, d'atteindre l'enceinte de la pyramide. On évitait ainsi un long parcours par voie de terre.

*Face à la pyramide de Khéops se dresse
ce temple grandiose dédié à Osiris, une des divinités les plus
adorées de l'ancienne Egypte.*

*Une autre vue de la pyramide de Djéser, et les restes
de quelques colonnes protodoriques, ainsi nommées à cause
de leur ressemblance avec les antiques colonnes grecques.*

Le temple de Snéfrou «peut contenir le ciel»

La dernière construction précédant les pyramides géométriques de Gizeh, fut élevée à Meïdoum, à quarante-cinq kilomètres au sud de Dahchour. Bien que recouverte de sable jusqu'au tiers de sa hauteur, elle fut tellement détruite qu'elle ressemble plus à une tour qu'à une pyramide.

L'entrée d'une tombe devant la pyramide de Khéops.
Au cours des siècles, les pillards, les voleurs et les aventuriers
de tout genre, la plupart du temps incapables d'apprécier
la valeur de leurs découvertes, ont saccagé les plus riches
monuments des dynasties pharaoniques.

Sa forme n'était pas tout à fait fortuite, mais due en partie à la méthode de construction employée; ses caractéristiques ont été notées par Sir Flinders Petrie lors de ses fouilles de 1891. Des recherches successives furent conduites par G. A. Wainwright, Ludwig Borchardt et Alan Rowe. Il semble que cette construction fut conçue d'abord comme un mastaba, ou comme une pyramide à degrés dont la superstructure se confondrait aujourd'hui avec l'ensemble des ruines; mais on ne peut la décrire avec certitude. Au cours des fouilles, des gravures exécutées par des carriers ont été découvertes sur certains blocs. Elles représentent des pyramides à deux, trois et quatre degrés, qui correspondent probablement aux transformations successives du projet initial.

La première forme identifiable de la superstructure est celle d'une pyramide à sept degrés, dont le noyau central était l'espèce de tour construite pour augmenter la hauteur de l'édifice de base. A Meïdoum aucune inscription de l'époque n'a permis d'identifier le bâtisseur de cette pyramide. Mais dans le corridor et dans la chambre du temple funéraire adjacent, un certain nombre de graffiti, tracés sur les parois par des visiteurs au temps de la XVIIe dynastie, attribuent clairement cette œuvre à Sé-

néférou ou Snéfrou (2700 ans environ avant Jésus-Christ), premier pharaon de la IVe dynastie. L'un de ces gribouillages peut être ainsi traduit: « Le 12e jour du 4e mois de l'été au cours de la 41e année du règne de Thoutmès III, le scribe Aa Kheper Ra Sene vint voir le temple du roi Snéfrou. Il lui sembla qu'il contenait le ciel et qu'en surgissait le soleil. Donc, il pensa: il se peut que le ciel fasse pleuvoir la myrrhe et laisse tomber l'encens sur le toit du temple du roi Snéfrou. »

Nous voici donc à la IVe dynastie, celle à laquelle appartinrent les pharaons Khéops, Khéphren et Mykérinos, qui firent bâtir les célèbres pyramides de Gizeh.

La grande pyramide de Khéops

Cimetière musulman au pied de la pyramide de Khéphren: contraste de religions, de civilisations et de styles sur la terre d'Egypte qui fut occupée, avant l'ère chrétienne, par les Perses en 525, par Alexandre le Grand en 332, par les Romains en 30, et, après Jésus-Christ, par les Byzantins en 396 et les Arabes en 640.

Le fils de Snéfrou et son successeur sur le trône fut Khoufou, plus connu sous le nom grec de Khéops. C'est probablement en s'inspirant des constructions paternelles de Meïdoum et de Dahchour qu'il choisit pour sa propre pyramide un plateau à la lisière du désert, à huit kilomètres environ à l'ouest de Gizeh. Les deux rois suivants de la IVe dynastie, Khéphren et Mykérinos, suivirent son exemple. Ils bâtirent leurs pyramides au même endroit, au sud de la grande pyramide de Khéops.

Il n'est pas possible d'évaluer exactement le volume de la pierre utilisée pour édifier la Grande Pyramide, car son centre est constitué par un noyau rocheux que l'on ne peut mesurer avec précision. Toutefois on suppose que ce noyau et son revêtement extérieur en calcaire de Tourah comprennent environ deux millions et demi de blocs d'un poids oscillant entre deux tonnes et demie et quinze tonnes chacun. Pour se faire une idée du volume de la Grande Pyramide, précisons que la cathédrale de Milan, Saint-Pierre de Rome et la cathédrale de Florence tiendraient sur la surface de sa base. La pyramide de Khéops est, certes, le monument qui a été étudié et mesuré le plus grand nombre de fois et avec le plus d'attention; mais, fait étrange, dans de très nombreux cas, les résultats des calculs diffèrent. On sait cependant avec certitude que la hauteur totale de la pyramide était de 146,72 m, auxquels manquent aujourd'hui les 9,5 m du sommet. Sa base s'étend sur 5,25 ha. Bien que donnant l'impression d'un monument parfaitement conservé, la Grande Pyramide a beaucoup souffert. Près d'une douzaine de couches de pierre, en granit, probablement, et le capuchon ont été emportés; le revêtement externe, à l'exception de quelques morceaux à la base, a subi le même sort. Sur le côté nord, un peu en dessous de l'entrée initiale, on voit une large ouverture qui, selon la tradition musulmane, aurait été pratiquée à la fin du IXe siècle après Jésus-Christ sur l'ordre du calife Al-Mamoun, fils de Haroun-al-Rachid (dont on parle beaucoup dans *Les Mille et une Nuits*) convaincu qu'un trésor inestimable y était caché. Jusqu'alors la pyramide, que des voleurs avaient vidée de son contenu primitif, était cependant restée intacte dans sa structure, mais à partir de ce moment, elle devint

Pour satisfaire aux exigences du tourisme, on a planté ces tentes dans le désert. A l'ombre, on apprécie mieux l'imposant panorama des trois pyramides de Gizeh.

une carrière très fréquentée, dont les pierres servirent à construire une bonne partie des édifices de Gizeh et du Caire.

En pénétrant au cœur de cette immense bâtisse, on suit un corridor de 1 mètre de large et de 1,20 m de haut, qui descend à travers le noyau central puis dans la roche vive. A 105 mètres de l'entrée la pente cesse soudain et le couloir devient plat, pendant 9 mètres environ, au bout desquels il débouche dans une chambre avec niche dont le carrelage est percé d'une fosse carrée. Après les fouilles de Perring et Vyse, en 1838, la chambre a été remplie de détritus et de blocs de pierre qui, depuis, n'ont jamais été déblayés.

La présence d'un couloir sans issue parut mystérieuse à l'époque. On en déduisit qu'il devait y avoir une seconde chambre reliée à la première par un corridor, comme à l'intérieur de la pyramide de Snéfrou à Dahchour. La seule différence, c'était qu'à Dahchour, la première chambre se trouvait au nord et la deuxième juste au centre de la pyramide, à la perpendiculaire du sommet, tandis que dans la Grande Pyramide l'une et l'autre étaient au sud de cette perpendiculaire. Au cours des siècles, les voleurs parcoururent évidemment ce couloir sans se lais-

Intérieur de la pyramide de Khéops. Dans la chambre du roi (longueur 10,50 m, largeur 5,50 m, hauteur 5,80 m) rien ne reste après le pillage, sauf ce sarcophage ouvert et vide.

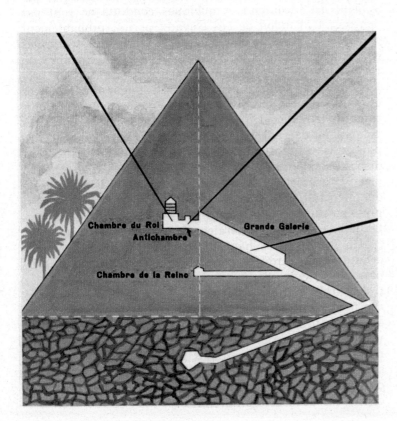

Coupe de la pyramide de Khéops.

La grande galerie qui conduit aux chambres où se trouvaient les tombes de la reine et du pharaon Khéops.

ser décourager par l'insuccès: il y avait, certainement quelque part, un passage secret, bien caché. En effet, on finit par le découvrir par hasard. Ce couloir avait été creusé à environ 18,5 m de l'entrée de la galerie. Il montait à travers le noyau rocheux et, après la sépulture du pharaon, il avait été obstrué par une dalle de calcaire absolument identique à celles qui formaient le toit de la galerie et il était donc impossible de distinguer ce bloc des autres. Mais celui-ci n'avait pas dû être bien fixé, car, lorsque les hommes d'Al-Maman creusèrent à la recherche du fameux trésor, la dalle tomba. Ce nouveau passage montait vers le vrai centre de la pyramide. Il se divisait en un certain point en deux, une ramification horizontale menait à la chambre de la reine, l'autre montait en s'élargissant jusqu'à la chambre du roi, défendue par une énorme dalle et quatre piliers de granit. Les pillards ne se laissèrent pas décourager. Ils réussirent à pénétrer dans la salle et emportèrent tout ce qu'ils trouvèrent. Quand Sir Flinders Petrie, le fameux archéologue anglais, y entra « le premier » en 1880, la chambre du roi était complètement vide à l'exception d'un sarcophage ouvert.

Beaucoup d'indices prouvent que les travaux entrepris dans la chambre de la reine (appelée ainsi à tort par les Arabes) furent abandonnés avant d'être terminés; le pavement est incomplet et quelques conduits ne sont pas achevés. L'abandon de ces travaux permit probablement de réaliser les deux plus célèbres œuvres architecturales de l'Ancien Empire: la grande galerie et la chambre du roi. La grande galerie, comme on l'a vu, n'est qu'un prolongement du couloir initial; elle est longue de 47 mètres et haute de 8,5 m. Sir Flinders Petrie, malgré l'amertume qu'il ressentit d'avoir été devancé par de vulgaires voleurs, en décrivit avec admiration les parois de calcaire poli et la voûte à couches en saillie dont les dalles sont disposées « de telle façon que le bord inférieur de chaque pierre s'accroche comme un cran d'arrêt dans la crête dentelée taillée sur les parois, aucune pierre ne faisant pression sur celle du dessous, mais chaque dalle étant soutenue par les parois latérales sur lesquelles elle s'étend ».

Un gradin assez haut, au bout de la grande galerie, conduit à un étroit passage vers la chambre du roi. Ce passage s'élève et aboutit à une antichambre dont les trois parois sont en granit rouge. Il ne reste aucune trace des herses qui occupaient probablement les quatre grandes ouvertures, qui se trouvent sur deux des côtés. En travers de l'antichambre, encastrés dans de très fines rainures, il y a encore deux grands blocs de granit posés l'un sur l'autre; un troisième bloc occupait autrefois le reste de l'espace jusqu'au plafond. C'était la dernière barrière contre les éventuels pillards.

*L'étroit corridor de 105 mètres
qui conduit au cœur de la pyramide de Khéops.*

▶ *La grande salle du temple de Khéphren. Ce dernier était
relié à la pyramide du même nom par une allée bordée de
murs épais. Le granit employé pour la construction de cet
énorme édifice provenait des carrières de la Haute-Egypte.*

La chambre du roi et le Sphinx de Khéphren

La chambre du roi, de forme rectangulaire, est entièrement en granit. Elle a 10,50 m et 5,20 m de côtés. Elle est haute de 5,80 m. Sur les parois nord et sud on remarque les orifices de quelques conduits probablement destinés à faire pénétrer l'air dans la pièce. Le sarcophage, qui, en son temps, contenait le corps du pharaon Khéops, se trouve contre la paroi ouest. Sir Flinders Petrie a constaté que — chose curieuse — la largeur du sarcophage dépasse de deux centimètres et demi celle de la sortie du corridor qui aboutit à la chambre du roi, ce qui donne à croire que le sarcophage avait été déposé dans la fosse avant que celle-ci ne fût terminée.

*Le profil du Sphinx montre
clairement les dommages que le temps lui a fait subir.*

*L'entrée du temple fabuleux de Khéphren,
telle qu'elle se présente de nos jours.*

Aucune œuvre architectonique n'est comparable au toit de la chambre du roi. Le plafond est composé de neuf dalles d'un poids total de 400 tonnes et il est surmonté de cinq compartiments superposés. Quatre de ces compartiments ont un toit plat et le cinquième, un toit pointu. L'objet de ce dispositif était d'empêcher la chambre de s'écrouler sous le poids de la maçonnerie. Et la chambre a résisté, à travers le temps, même à l'effet des tremblements de terre; les dalles se sont fendues, mais elle ne s'est pas effondrée.

Aujourd'hui, les constructions qui complétaient l'ensemble de la pyramide de Khéops ont presque totalement disparu; il est seulement resté une partie du fin pavement de pierre qui recouvrait la surface comprise entre la pyramide et le mur d'enceinte. Sur le côté est, tout près, se trouvait le temple funéraire. Autour de la pyramide sont ensevelies cinq barques solaires dans lesquelles le pharaon aurait dû gagner les régions d'outre-tombe où habitaient les dieux. Jusqu'en 1954, on pensait que toutes ces embarcations, dont on connaissait l'existence, étaient perdues, mais le 15 juin de cette année-là, au cours de la construction d'une route touristique autour de la Grande Pyramide, l'ingénieur Gamal el-Malakh trouva une énorme niche, de 4,50 m sur 1,80 m, couverte de dalles de calcaire. L'une d'elles fut défoncée et l'archéologue pénétra dans une galerie où il découvrit deux barques en bois de cèdre, parfaitement conservées. L'une de ces barques était longue de 34 mètres et le gouvernail en forme de rame mesurait 5 mètres. Dans la coque il y avait d'autres rames, des objets divers, des statues, du mobilier.

Non loin de la Grande Pyramide s'élève la pyramide de Khéphren qui est presque sa jumelle. Elle a 143 mètres mais paraît plus haute encore car elle est bâtie sur un plateau rocheux plus élevé. Khéphren était le fils de Khéops. Il est évident que s'il ne voulait pas démériter, il ne souhaitait pas non plus surpasser son père. Peut-être n'avait-il pas oublié les sacrifices inhumains et à peine avouables auxquels il avait fallu consentir pour achever la Grande Pyramide.

La pyramide de Khéphren est faite de blocs de calcaire blanc, revêtus de dalles de granit. L'entrée, orientée vers le nord selon la coutume, fut découverte par Jean-Baptiste Belzoni en 1818. La porte, majestueuse et imposante, est ornée de bas-reliefs. La chambre sépulcrale, contrairement à celle de la Grande Pyramide, n'est pas située au centre de la construction, mais au bout d'un tunnel creusé au-dessous de la base et l'on y accède par une galerie d'environ 15 mètres. Là aussi on ne retrouva qu'un sarcophage vide. En face de cette pyramide s'élevait un temple en granit rouge du haut Nil, en partie recouvert de dalles d'albâtre transparent. Les statues représentant le pharaon y étaient nombreuses. De là, une route en pente conduisait au temple de la vallée, à travers plusieurs cours et salles où le grand prêtre de l'Empire célébrait les sacrifices.

*Le Sphinx a le corps d'un lion et le visage du pharaon
Khéphren. Les yeux tournés vers le désert infini, il symbolise
le pouvoir uni à la force. Entre ses énormes pattes
se trouve la stèle du pharaon Thoutmès IV, qui exhuma
le sphinx des sables plusieurs siècles après sa construction.*

Le dernier édifice important de l'ensemble monumental de Gizeh est la pyramide du pharaon Mykérinos, fils de Khéphren. Mykérinos la fit élever près de celle de son père, mais ses proportions sont de beaucoup plus modestes. Haute de 66,50 m, elle a été construite avec des pierres calcaires et revêtue de différents granits, ce qui fait supposer que les travaux furent interrompus et repris plusieurs fois. Comme dans la pyramide de Khéphren, la chambre sépulcrale se trouve, ici, sous le plan

Une folie désespérée

Aujourd'hui encore, on reste émerveillé par la technique employée pour élever et pour sceller les énormes blocs de pierre qui servirent à construire les pyramides selon les règles architectoniques les plus précises.
L'on voit ici comment sont disposés ces blocs au flanc de la pyramide de Khéops.

Le pharaon Mykérinos, fils de Khéphren et neveu de Khéops, fit construire la troisième des pyramides, la plus petite (66,5 m). Sur la photo, une série de tombes de courtisans voisine avec celle du souverain.

de base et non au centre où on l'a vue dans la pyramide de Khéops. Dans cette chambre une inscription hiéroglyphique exhorte les intrus à respecter la demeure du pharaon « sous peine qu'Osiris ne les fasse sombrer dans une folie sans espoir ».

La disposition intérieure de cette pyramide et de celles qui suivirent jusqu'à la XIIe dynastie (2000 ans environ avant Jésus-Christ) comporte un corridor qui, partant de la face nord, conduit à une petite antichambre précédant la chambre funéraire. Dans les limites imposées par le plan général traditionnel des pyramides et des constructions complémentaires qui prévoyait une allée monumentale et un temple de la vallée, on peut noter ici une grande variété dans les détails architectoniques, bien que les scènes gravées sur les murs des plus récentes constructions présentent les mêmes sujets inspirés par des schémas fixes.

Aucune pyramide, de celle de Djéser à celle d'Ounas, à la fin de la Ve dynastie, n'offre de décoration intérieure. C'est seulement à partir de la VIe dynastie que l'on trouve sur les murs de la chambre funéraire des graffiti et des textes religieux appelés à présent « Textes des Pyramides ». Ce sont des répertoires de formules, souvent poétiques, qui se réfèrent aux rites funèbres de l'époque. On y reconnaît deux séries complémentaires: l'une composée de formules magico-religieuses; l'autre du même genre, mais se rapportant à la personnalité de certains souverains. On y trouve, mêlés, des morceaux ayant trait à diverses idées religieuses et mythologiques ou aux coutumes funéraires particulières aux dynasties précédentes; des énoncés de concepts moraux, des passages relatifs aux événements politiques et historiques. Dans les Textes des Pyramides, le dieu-soleil Rê figure au premier plan, tandis qu'Osiris, le dieu des morts, occupe un rôle secondaire.

La terre des pharaons métropole de l'Afrique

En Basse-Egypte, sur cette terre où le travail, la végétation et la richesse ne s'épanouissent que sur les bords du Nil, et où les monuments perpétuent la gloire des pharaons, vivent aujourd'hui, plus nombreux que partout en Afrique, des gens de sang, d'origine et de traditions très diverses. L'ancienne population de pâtres chamites s'est dispersée, surtout dans le désert et dans le Sud. Le puissant groupe ethnique des Bedjas, isolé dans les montagnes entre la rive droite du Nil et la mer Rouge, mène de nos jours une vie nomade, de l'Egypte à l'Erythrée. Autrefois, ces Bedjas occupaient une grande partie du territoire de la Basse-Egypte. Le groupe des Ababdehs, aujourd'hui arabisés, et celui des Bicharis qui, dans leur nomadisme refluent de plus en plus vers le sud, parlent encore, outre l'arabe, un dialecte, le bedaoui (bédouin), et sont devenus depuis longtemps des musulmans fanatiques. Ils sont éleveurs de chèvres et de chameaux et vivent dans des tentes à dôme, montées sur des arcs méridiens parallèles et recouvertes de peaux ou de nattes. Ils s'habillent de pantalons blancs attachés sous les genoux et d'une tunique de même couleur enroulée plusieurs fois autour du corps, mais ils conservent souvent le torse nu. Ils sont chaussés de sandales à bords très larges qui leur évitent de s'enfoncer dans le sable.

Dans les limites de la vallée et dépendant de l'ancien système des inondations cycliques, il y a les fellahs qui vivent de l'agriculture sur cette terre qui appartenait naguère à de gros propriétaires ou à des congrégations religieuses, mais que l'Etat actuel a sagement morcelée et distribuée. La production agricole dépend essentiellement de l'irrigation dont la technique est, dans la plupart des cas, fort primitive quoique très ingénieuse; c'est un spectacle habituel que celui des buffles fauves tirant sur la pesante roue en bois de la sakieh, entraînant une série de godets en terre cuite d'où l'eau se déverse dans des conduits qui la distribuent dans les champs. Au bord des canaux on voit assez souvent des garçons actionner de gros tubes de bois, appelés en arabe *tambur*, fonctionnant selon le principe de la vis d'Archimède, d'où un grand effort pour un résultat minime. Mais de plus en plus, les moyens d'irrigation se perfectionnent selon des méthodes scientifiques, et les terres sont alimentées, non plus par les crues du fleuve, mais par une distribution régulière des eaux, retenues dans des bassins fermés par des barrages ou des digues. Dans ce paysage en voie de modernisation, où fument les cheminées des sucreries et des cimenteries, le fellah, nu-pieds, se déplace lentement derrière les bœufs qui traînent la charrue, suivi de blancs et doux ibis qui picorent les mottes de terre retournées. Ces paysans ne mangent de la viande que les jours de fête; leur nourriture de base est composée principalement d'orge, de sorgho, de maïs, de légumes et de laitages. Pour cuire les aliments, ils emploient comme combustible la fiente séchée des animaux. Les hommes s'habillent d'une chemise sans col, brodée sur le devant, et d'une longue djellaba flottante; ils portent sur la tête, généralement rasée, une calotte blanche ou de couleur. Les femmes s'enveloppent dans un ample manteau noir, elles y cachent les objets qu'elles portent sur elles, et même les enfants qu'elles allaitent, et elles ramènent sur la tête l'un des pans. Très rares sont celles qui ont encore sur le front et le nez le cylindre de cuivre qui servait autrefois à tenir attaché au manteau le voile du visage.

Les habitations traditionnelles sont formées de pièces disposées autour d'une cour centrale. Elles sont construites en briques de boue séchée au soleil, renforcées avec de la paille, des tiges de maïs et de la fiente. Cependant, dans de nombreux villages on remarque des maisons en maçonnerie, dont les blanches façades se dressent, le plus fréquemment, près des établissements industriels et le long de la grande route qui longe la vallée du Nil.

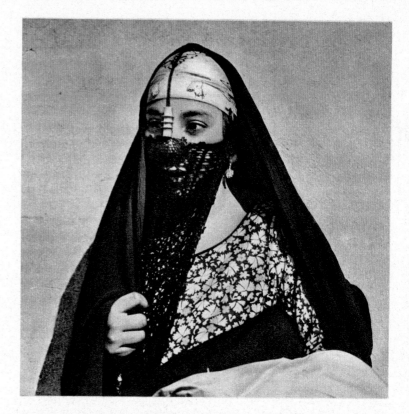

Quelques femmes en Egypte portent encore à hauteur du front ce cylindre de cuivre, auquel est attaché le voile.

Les tatouages des Barabrâhs

Les Barabrâhs se singularisent par leurs tatouages à trois entailles sur les deux joues. Leur peau est très sombre. Probablement originaires de Nubie, ils furent toujours connus pour leur goût des grands voyages. Au cours du siècle dernier, le nombre de marchands d'esclaves sortis de leurs rangs les rendait tristement célèbres. Une grande partie d'entre eux a émigré, ces derniers temps, en Basse-Egypte, où ils sont employés comme domestiques, chauffeurs, mécaniciens, terrassiers sur les rives du fleuve. Ils refusent de vivre dans les taudis de boue des champs et, en souvenir de leur désert du Sud, ils construisent fièrement des maisons de pierre sur les collines rocheuses des deux côtés de la vallée. En dépit de leur aspect farouche et violent, ils sont très fidèles, gais et cordiaux. Musulmans pratiquants, ils n'épousent que les femmes de leur race qui, depuis peu, ont adopté le costume arabe. Jusqu'à ces dernières années elles portaient des jupes qui s'arrêtaient au genou, une chemise blanche finement brodée et, pour seul ornement, un anneau de métal dans une narine.

Les femmes Barabrâhs du désert de l'Ouest portent parfois, dans des circonstances bien déterminées, un voile sur lequel, à la manière saharienne, sont cousus des sequins d'or, d'argent et de cuivre.

Chrétiens d'Egypte

En Basse-Egypte, comme en Haute-Egypte ou dans la zone du Delta, les Coptes, très nombreux, sont demeurés fidèles au christianisme sous la domination arabe qui commença l'an 640 de notre ère. En dehors de la religion, ils se distinguent de leurs concitoyens par leur écriture, dont les caractères sont les 24 lettres de l'alphabet oncial grec, et par leur langue, à peine employée actuellement.

L'une des « spécialités » de la Basse-Egypte est justement l'industrie copte des tissus de lin et de laine, aux riches dessins de couleurs éclatantes. Ces étoffes sont ornées de jours ou de broderies. C'est aussi en Basse-Egypte que l'on confectionne des tuniques à usage civil ou religieux, des suaires aux dessins archaïques: méandres, sarments, boutons de fleurs, oiseaux et pavois.

Ce territoire contient de magnifiques églises et monastères, entre autres l'église de Saint-Jérémie à Saqqârah. Dans le Fayoum on trouve les restes de l'antique Arsinoé, célèbre autrefois par ses industries textiles, et de très vieilles chapelles à Ahnâs, à Pjemdje et à Medinet el-Fayoum. Assez nombreux au Caire, et dans les villes principales, les Coptes le sont aujourd'hui beaucoup moins dans les campagnes et les villages de la Basse-Egypte; mais ils conservent partout avec amour et dignité les vestiges de leur histoire littéraire et artistique.

Toutes ces populations, à l'exception de certains nomades irréductibles, rares dans la Basse-Egypte, vivent de l'agriculture; elles exploitent les terrains qui peuvent être irrigués par les eaux du Nil, leur seule source de subsistance. C'est pourquoi on comprend si bien qu'Hérodote ait pu affirmer que l'Egypte est un don du Nil.

L'entrée d'une maison copte. Les Coptes sont les seuls habitants d'Egypte qui demeurèrent fidèles au christianisme, même sous la domination arabe.

L'artisanat caractéristique des Arabes installés depuis
des siècles dans les villes égyptiennes du Delta, produit
des coussins et des tapis connus
dans le monde pour leurs couleurs éclatantes.

36

Une autre forme de l'artisanat, d'une réelle valeur
artistique, est le travail du cuivre. Des objets à usage
domestique ou décoratifs sont ainsi fabriqués à partir d'une
feuille de métal, battue avec beaucoup de patience
et de précision; l'on y grave ensuite des figures ornementales.

En Basse-Egypte, ces champs que les eaux des hauts plateaux éthiopiens et équatoriaux traversent et arrosent dans leur descente vers la mer, produisent des céréales, surtout le sorgho, et nourrissent du bétail. Le commerce s'est développé, créant des marchés où une humanité vociférante, gesticulante, bigarrée, côtoie ce personnage toujours présent sur la scène égyptienne: le dromadaire.

Bien que n'étant pas originaire de l'Egypte, ni de l'Afrique, ce chameau (*Camelus dromedarius*) est indispensable à l'Egyptien. Venu de l'Asie centrale, il a été importé durant l'invasion des Perses, sous le règne du roi Cambyse (525 ans avant Jésus-Christ).

Autocars et dromadaires

Paysage biblique au pays des pharaons. Des scènes comme celle-ci évoquent, après des milliers d'années, certains récits de la Bible, en les situant sur une terre qui, loin des rives du Nil, est marquée par la sécheresse du désert et par la pauvreté de sa population.

*Les inondations périodiques du Nil poussaient les eaux
du fleuve jusqu'au pied des colosses de Memmon, deux énormes
statues, hautes de seize mètres, du pharaon Aménophis III.*

THÈBES
AUX CENT PORTES

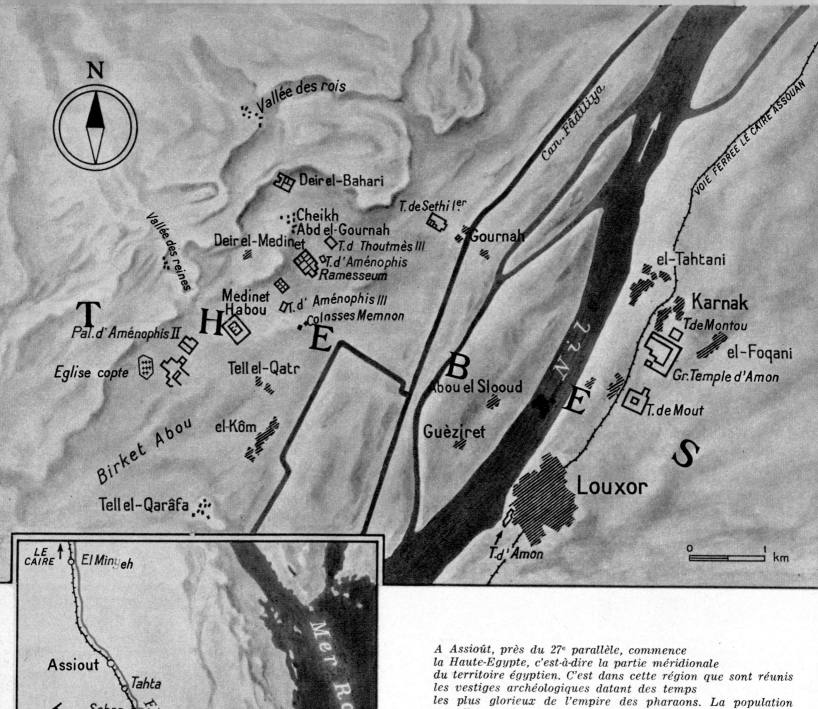

N

Vallée des rois

Deir el-Bahari

T. de Sethi Ier

Gournah

Can. Fâdiliya

VOIE FERRÉE LE CAIRE ASSOUAN

Cheikh
Abd el-Gournah

Deir el-Medinet

T. d Thoutmès III

el-Tahtani

Vallée des reines

T. d'Aménophis
Ramesseum

Karnak

T. de Montou

Medinet
Habou

T. d' Aménophis III
Colosses Memnon

el-Foqani

T

H

Pal. d' Aménophis II

E

B

Gr. Temple d'Amon

T. de Mout

Eglise copte

Tell el-Qatr

Abou el Slooud

E

Birket Abou

el-Kôm

Guèziret

S

Tell el-Qarâfa

Louxor

0   1 km

T. d'Amon

LE CAIRE   El Minyeh

Mer Rouge

Assiout

Tahta

Sohag

F. Nil

Haute Egypte

el-'Araba
(ABYDOS)

Farchout

Koptos

THEBES

Ouadi Hammamat

Louxor

Esnek

Assouan

0   200 km

A Assioût, près du 27e parallèle, commence
la Haute-Egypte, c'est-à-dire la partie méridionale
du territoire égyptien. C'est dans cette région que sont réunis
les vestiges archéologiques datant des temps
les plus glorieux de l'empire des pharaons. La population
actuelle est d'environ 7 000 000 d'habitants,
installés sur les rives du Nil.

APRÈS un long trajet nocturne, le train qui quitte Le
Caire à huit heures du soir arrive à l'aube à
Louqsor. Le voyageur, abandonnant sa confortable
deur désolée du désert qui arrive jusqu'à la bande de
maigres champs cultivés d'où s'élèvent des palmiers minces et dodelinants, le long de la voie ferrée. Et voici qu'apparaissent des bambins sales, qui courent sur le quai,
quémandant à haute voix un bakhchich, sorte de pour-
boire qui leur est « dû » parce que la tradition (aujour-
d'hui en forte régression) le veut ainsi; et des femmes
vêtues de noir, portant des calebasses sur la tête: ven-
deuses de bananes, de fruits secs, de scarabées bon marché et de petits colliers multicolores. Mais, quand le
matin est là et que le désert perd sa chaude couleur nocturne, un jaune intense et dense, on entre alors dans une
véritable ville, ou plutôt dans une agglomération qui a

Le climat de la Haute-Egypte est influencé par le désert.
Celui-ci s'étend presque jusqu'au Nil, que bordent 12 000
kilomètres carrés de terres cultivées. Sur la photo, deux femmes
en train de nettoyer la vaisselle
dans le fleuve, aux environs de Karnak.

Deux jours de pluie par an

l'ambition d'être une ville. Louqsor, l'un des lieux touristiques les plus fréquentés, non seulement de l'Egypte, mais de toute l'Afrique. On y jouit d'un climat extraordinaire, tout comme à Assouan; la pluie y est pratiquement inconnue et, au moins pendant une certaine période de l'année, une agréable brise du soir arrive de la mer Rouge, par les gorges de l'oued Hammamat tout proche.

Mais, en vérité, toute l'Egypte méridionale jouit de ce climat, pourtant intolérable à la longue pour les Européens habitués aux changements de saisons. A partir d'Assioût, où commence en réalité la région appelée Haute-Egypte, le grand régulateur du climat, c'est le désert; son pouvoir d'absorption de l'humidité et l'absence d'un système montagneux au relief accusé expliquent l'extrême rareté des pluies dans la vallée du Nil. Au sud d'Assioût, il pleut environ un jour ou deux par an, certaines années la pluie ne tombe pas du tout. Dans la vallée, le régime des vents est parfois influencé par la mer Rouge; les courants aériens prennent, le long de cette mer et le long de la vallée, les mêmes allures caractéristiques: les vents soufflent régulièrement en direction nord-sud et vice versa. Au printemps les tempêtes de la Méditerranée troublent l'atmosphère. Le khamsin fait son apparition. C'est

Ces petits garçons apprennent à travailler le cuivre,
l'un des artisanats de la Haute-Egypte. On incise les plaques
brillantes de métal et on les orne de dessins
inspirés de l'art si riche du temps des pharaons.

un vent suffocant qui vient du Sud, au-delà de Khartoum,
soulevant des nuages de sable. Son nom en arabe signifie
« cinquante », car il souffle habituellement pendant cinquante jours.

Le ciel de la Haute-Egypte est régulièrement bleu pâle
et sans nuage, un miroir limpide dans lequel se reflète
le désert. Pour différentes raisons, le climat est ici plus
constant et plus sain que dans le reste du pays et le ciel,
d'une pureté inégalable. C'est à cette sécheresse de l'air
que l'on doit la conservation de nombreux monuments,
d'une grandeur unique au monde.

En Haute-Egypte la superficie cultivée dépasse à peine
12 000 kilomètres carrés alors que la population atteint
7 000 000 d'habitants, groupés, le long de la vallée du Nil,
dans des centres où ils se consacrent pour la plupart au
petit commerce. La densité de ce peuplement, en certains
endroits, n'est pas inférieure à celle de la Basse-Egypte.
On retrouve ici les divers groupes ethniques déjà remar-
qués dans la partie septentrionale du pays: un fond paysan composé de fellahs (la partie la plus pure de la population malgré certains caractères libyens et berbères
évidents et communs d'ailleurs à tous les peuples d'Afrique du Nord); de nombreux Barabrâhs, et qui portent

*Groupe d'enfants dans une zone
fréquentée par les touristes.*

sur les joues déjà imprégnées de sang noir des cicatrices caractéristiques; et même des éléments soudanais originaires de Nubie. Entre la mer Rouge, la frontière soudanaise et la région de Louqsor, l'on rencontre d'importants groupes de Bédouins arabes nomades et des Bicharis de haute stature, au type éthiopien, leurs cheveux drus garnis de longues épingles décoratives et leurs amples capes immaculées jetées négligemment sur les épaules. Dans les villes, les Coptes, nombreux, sont généralement employés ou artisans, quand ils n'accèdent pas à des charges plus importantes dans l'administration ou dans les professions libérales. Ils sont chrétiens, on l'a déjà vu. Alors que l'islamisme, toutefois, est la religion de l'Etat et prévaut dans une large proportion (92 pour 100 environ).

L'irrigation, là où elle est pratiquée selon les méthodes modernes, permet de faire jusqu'à trois récoltes par an: blé, orge, légumes, trèfle, coton, canne à sucre, riz et sorgho. Toutes cultures que le gouvernement actuel s'efforce

Un des autocars rouges qui conduisent les touristes aux tombes de la Vallée des Rois. Vendeurs d'objets anciens (presque toujours faux) et enfants s'empressent autour des visiteurs étrangers.

*Abydos (aujourd'hui El-Kherbeh), la nécropole
des anciens rois égyptiens, était le centre du culte d'Osiris,
dieu d'outre-tombe. La photo représente le temple
de Séthi Ier, colossale construction riche en sculptures
qui comptent parmi les plus remarquables de l'arte égyptien
(XIXe dynastie).*

de développer afin de porter l'économie de la Haute-Egypte au même niveau que celle de la Basse-Egypte. Tâche rendue difficile par l'insuffisance des communications, limitées à la voie fluviale du Nil et au chemin de fer qui le longe. Beaucoup de centres industriels — sucreries et filatures de coton surtout — se constituent néanmoins çà et là. L'élevage du bétail compte peu. Mais la vraie richesse de la Haute-Egypte, en dehors des produits de l'artisanat (tapis, céramiques, filigranes, marqueterie), est la grande activité touristique qui, de novembre à avril, anime le Nil d'Abydos à Dendérah, de Louqsor à la Vallée des Rois.

La ville funéraire d'Osiris

*Vendeurs de « souvenirs » et de boissons,
guides improvisés se sont installés près des ruines qui
témoignent encore de la splendeur des pharaons. Il y a aussi le
pittoresque charmeur de serpents qui s'offre en spectacle.*

Partant d'Assioût, la première localité d'intérêt archéologique que l'on rencontre en remontant le fleuve est la nécropole des environs de Choutb, où se trouvent les tombes des seigneurs de Bâalou, explorées en 1888 par Griffith et dont il ne reste que quelques ruines. A Aboutig, gros bourg et centre commercial, la population est en grande partie composée de Coptes qui vivent là, unis par leurs traditions anciennes mais toujours vivaces.

Tahta possède aussi des vestiges de l'antique splendeur, mais il faut atteindre Sohag pour que se révèlent quelques-unes des plus belles œuvres de l'architecture copte, le Couvent blanc (Deir el-Abiad) et le Couvent rouge (Deir el-Ahmar), édifices rectangulaires, en gros blocs de calcaire. Ces deux édifices religieux gardent les traces d'anciennes peintures murales disposées à l'ombre de légères colonnes et de chapiteaux ornés.

Sur la rive gauche du Nil en descendant vers le sud, voici que se découvrent les constructions d'Abydos, au pied de collines rocheuses. Le village actuel, nommé El-Kherbek, est perché sur une petite acropole entourée de quelques rares palmeraies. Outre l'unique route digne de ce nom qui traverse l'agglomération, au sud, subsistent des restes de la ville ancienne; le temple d'Osiris, le couvent copte, les lacs sacrés, quelques nécropoles et temples de l'époque de Ramsès II (1298-1232 avant Jésus-Christ). A l'est, dans une petite vallée, s'élève le grand temple de Séthi Ier. Primitivement la ville occupait une étroite langue de terre entre le désert et un canal dont on retrouve encore des traces très nettes. Elle fut le centre funéraire des rois archaïques. Le culte d'Osiris, dieu de l'au-delà, s'y implanta plus tard et tous ceux qui le pouvaient s'y firent ériger une stèle pour bénéficier des avantages du lieu sacré. La stèle du roi-serpent est l'un des chefs-d'œuvre de l'art égyptien. Le temple de Séthi Ier, construction gigantesque, rappelait le Labyrinthe légendaire de Crète au géographe Strabon. Ses parois présentent des reliefs qui, malgré la grande froideur qui les caractérise, sont parmi les plus célèbres d'Egypte.

Après Abydos, le fleuve continue à dérouler ses lents méandres, tout en décrivant un grand arc qui l'oriente, sur une bonne distance, non plus du sud au nord, mais d'est en ouest; aux temps anciens, à cet endroit, aboutissait un canal, reliant le Nil et la mer Rouge à travers une gorge où passe aujourd'hui l'oued Hammamat. Au sud du confluent de cet oued avec le Nil, sur la rive droite du fleuve, s'élève Koptos.

Ville très ancienne, Koptos fut certainement, depuis les temps protohistoriques, en contact avec l'actuelle Erythrée. Le canal (dont parle déjà Strabon) la reliait à un port de la mer Rouge, d'où l'on s'embarquait vers les pays des épices: la côte arabe, la côte de l'Erythrée et aussi certainement celle de la Somalie qui, dans les inscriptions des monuments, s'appelle « Pays de Pount ». L'Anglais Flinders Petrie, au cours des fouilles les plus importantes faites à Koptos, y retrouva, entre autres choses, un vase au nom de Khéops et un bas-relief se rapportant à deux pharaons du nom de Pépi. L'édifice le plus imposant de la ville était le temple de Min, qui retrace encore les travaux successifs accomplis par le pharaon Ramsès II, souverain infatigable, qui marqua de son empreinte la plupart des monuments égyptiens de la vallée du Nil.

Sur la rive gauche du Nil, dans la grande solitude du désert, à 60 kilomètres au nord de Louqsor, surgissent les ruines de Dendérah. Ville connue seulement par ses derniers monuments, mais assez ancienne, était la capitale du sixième nome (région administrative) de la Haute-Egypte et l'on y vénérait la déesse Hathor. Selon des textes ré-

Le zodiaque de Dendérah

Vue à travers les colonnes du grand temple de Karnak.

La Haute-Egypte est peuplée de races très diverses.
Voici un fellah, l'un de ces paysans qui composent la majeure
partie de la population de cette région.

cents, le plan du temple de Dendérah s'inspirerait des constructions de l'époque de Khéops et de Pépi Ier. La présence d'une nécropole archaïque non loin de l'enceinte du temple, confirme l'âge de cette ville et permet de fixer l'époque où se développa le culte de la déesse. Commencé sous les derniers Ptolémées, le temple de Dendérah fut achevé assez tard, dans la période romaine; le vingt-quatre colonnes de sa grande salle hypostyle reproduisent de nombreux dessins de sistres, ancien instrument de musique des Egyptiens; elles évoquent aussi les attributs de Hathor et sont comme un hommage musical. Sur la terrasse du temple on remarque une chapelle à ciel ouvert, où s'accomplissait la cérémonie de l'Union au Disque Solaire, pendant les fêtes du Nouvel An; et plus bas, quelques chambres où l'on préparait la résurrection d'Osiris après le rite sacrificatoire.

Thèbes, capitale de la splendeur

Une jeune femme, dont le visage
et l'habillement sont typiquement berbères.

Le nom de Louqsor est associé à d'autres noms, tels que Karnak, la Vallée des Rois ou des Reines, Deir el-Bahari, Medinet Habou, lieux où l'histoire s'exprime par chaque pierre, qui témoigne de la puissance des pharaons et du haut degré de civilisation du peuple égyptien. Mais il évoque surtout « Thèbes aux cent portes », une des merveilles du monde, déjà chantée par Homère.

Après la chute de l'Ancien Empire, qui à lui seul occupe un millénaire de l'histoire égyptienne (de 3300 à 2270 environ avant Jésus-Christ) et à l'expiration d'une période de désordres, Thèbes devint la première ville d'Egypte, la capitale du Nouvel Empire. Aujourd'hui l'antique Thèbes constitue le plus fabuleux ensemble de ruines que l'on peut voir au bord du Nil. Sur la rive droite, il y a deux groupes de temples et, au sud, Louqsor, la ville moderne, animée, avec ses hôtels et sa gare. Au centre de la ville, le temple du Nouveau Règne, ses colonnes, son ample esplanade où les fouilles sont en cours, la très vieille mosquée d'Abou el-Neggag, et la ville romaine qui donna son nom à la cité d'aujourd'hui. Louqsor, en fait, vient de l'arabe El Qasr (latin *Castrum*: camp militaire). Quatre kilomètres plus au nord se trouve le gigantesque ensemble de Karnak entouré de petits villages et de palmeraies.

Le bourg appelé à l'origine « Harem du Sud », à la périphérie sud de l'antique Thèbes, forme aujourd'hui un quartier d'hôtels luxueux, foisonnant d'interprètes et de vendeurs de souvenirs. Dans ce quartier confortable et vaguement occidental qu'une route macadamisée sépare du Nil, un magnifique temple, visible de très loin, évoque « l'horizon céleste, dernière demeure du roi des rois ». Le dieu Amon y a pris l'aspect de Min, le dieu créateur tenant le fouet. Une fois par an, l'idole principale du

*Femme noire d'origine nettement soudano-nubienne,
portant un costume dont les teintes vives sont particulièrement
appréciées dans son pays.*

dieu quittait le grand temple de Karnak et remontait le fleuve pour rendre visite à son hypostase de Louqsor. Le roi Aménophis III reconstruisit l'édifice en fine pierre calcaire, mais beaucoup plus large et plus haut qu'auparavant, sur un terrain « orné d'argent et posé sur un lit d'encens ». On doit à ce souverain des salles garnies de splendides bas-reliefs et l'incomparable cour dont les colonnes représentent, nous disent les hiéroglyphes, des fleurs de lotus en bouton. Les archéologues, toutefois, préfèrent appeler « papyriforme » la composition florale qui décore ces colonnes. Après Aménophis, Ramsès II fit construire une grande cour, également en pierre calcaire, dans le prolongement du vieux bourg, et l'entoura d'un péristyle, peuplé de statues de quartz et de granit.

Précédé d'un grand pylône, le vestibule était gardé par deux obélisques de granit, dont l'un a été transporté à Paris et érigé place de la Concorde, en 1836. Dans la cour du Grand Temple, on peut encore admirer quelques colosses. mais on est surpris d'y trouver une petite mosquée blanche où dort du sommeil éternel un grand marabout de l'Islam, Abou el-Neggag. Si les archéologues déplorent cette présence anachronique et irrespectueuse, le dieu Amon, lui, doit être content de voir, pendant les fêtes consacrées au protecteur de Louqsor, le peuple de son ancienne Thébaïde porter en procession la barque du marabout, semblable à la sienne, comme au temps de la fête de « Harem ».

« Tout ce que j'ai vu et admiré jusqu'alors me semble dérisoire en comparaison de tout ce qui m'entoure. Aucun peuple ancien ou moderne n'a conçu l'art architectural à une échelle aussi vaste, sublime et grandiose que ne le firent les Egyptiens; ils imaginaient des hommes de cent pieds de haut », écrivait Champollion, le plus grand archéologue qu'ait peut-être jamais vu l'Egypte, en parlant de Karnak.

Karnak est un monde dans lequel on se perd, où l'on ressent la pauvreté présente par rapport au génie des hommes qui élevèrent ces monuments. Il faut monter sur la cime du premier pylône (le dernier construit) pour comprendre la disposition générale de cet incroyable et invraisemblable chaos d'édifices. Au premier plan, la cour des Ethiopiens et le portique de Chechonq; puis la grande salle hypostyle de Ramsès; plus loin l'obélisque de Hatchepsout, le sanctuaire de granit, la salle des fêtes de Thoutmès III; plus avant enfin, la porte d'Orient. Au sud le lac sacré et les ruines du tombeau d'Osiris, la série des pylônes, le temple de Khonsou précédé du propylée d'Evergète et enfin le temple d'Apet. Au lointain, au milieu d'un bois de palmiers, le temple de Mout abandonné romantiquement parmi les herbes et les étangs où flottent les nymphéas. Vers le nord, le temple de Ptah, la vaste enceinte du temple de Montou et sa porte monumentale. Enfin, vers l'ouest au pied du pylône, l'allée des béliers. témoins muets des cortèges fastueux de dignitaires et de dames vêtues de pourpre et d'or, et le banc duquel on admirait la barque sacrée. Tel est Karnak, agrandi et complété par de nombreux pharaons, que des millénaires de vandalisme, des Assyriens en 664 avant Jésus-Christ jusqu'à des temps récents, n'ont pas réussi à détruire.

Sur la route des temples de Karnak

Dans la grande boucle du Nil, au niveau du 26e parallèle, surgit le plus imposant des ensembles de ruines qui bordent le grand fleuve. Ces édifices extraordinaires, auxquels les souverains d'Egypte donnèrent tous leurs soins, intéressent passionnément, aujourd'hui encore, le touriste et le savant. La photo représente un coin de Karnak.

La fabuleuse Vallée des Rois

Après Louqsor et Karnak, une aventure déconcertante attend le voyageur dans la Vallée des Rois.

Quand la grosse barque quitte l'embarcadère situé devant l'hôtel avec son chargement de touristes armés de guides illustrés et d'appareils photographiques, les femmes indigènes vêtues de noir qui sommeillent le long de la rive et les hommes assis à califourchon sur de petits murs ou de vieux sièges défoncés, ne lèvent même pas les yeux. Ils sont habitués à ce va-et-vient quotidien, à l'arrivée et au départ des étrangers; ils se tiennent assis à l'abri des voiles des *dahabeahs*, leurs barques aux teintes vives dressées en attendant qu'un touriste vienne en louer une.

A peine ont-ils mis pied à terre sur une large bande sableuse où de très beaux enfants, très sales, pourchassent des chèvres au pelage touffu, les touristes se dispersent sur les hauteurs d'où l'on découvre l'ancien, le vaste lit du fleuve et regardent vers Louqsor et Karnak, sur l'autre rive, dans la verte oasis où pointent les tours blanches des minarets. Ils ont l'illusion de voir Thèbes, la plus grande ville d'Egypte.

Trois ou quatre autobus rouges, qui brillent violemment au soleil, attendent sur la petite place d'un village. Les vieillards et les enfants accourent, espérant un généreux bakhchich; les vendeurs de bibelots anciens s'empressent, offrant des profils calcaires de Toutankhamon et de Ramsès II, ou des « scarabées dorés » pour quelques sous, des vases du Nouvel Empire contre un paquet de cigarettes. Ils suivent même les autobus sur la piste raboteuse, pleine de cailloux, dans la poussière aveuglante où travaillent quelques ouvriers en sueur, noircis par le soleil. Voici, enfin, que s'ouvre la Vallée des Rois; des contreforts sauvages descendent verticalement d'un haut rocher pyramidal, absolument blanc contre le ciel bleu. Dans un immense nuage de poussière accourent des guides improvisés, des garçonnets qui prétendent vous révéler des secrets « ignorés », des véritables guides et des interprètes patentés. Tous ont quelque chose de nouveau à montrer, pour la première fois, à vous seul. Mais le spectacle de la Vallée est étonnant.

Au nord de la cime la plus haute de la montagne située à l'ouest descendent en serpentant à travers le plateau calcaire les lits de deux anciens cours d'eau. C'est le cœur de la nécropole, la « set mat », c'est-à-dire place de Vérité. Sous l'ardent soleil, les reliefs dans les calcaires semblent tout à fait roses, mais les yeux brûlent à vouloir suivre sur les monuments la vie des rois que retracent les reliefs gravés.

◄ *Dans le grand temple de Karnak, commencé sous le règne d'Aménophis III et achevé par ses successeurs, se dresse cette colossale statue de Ramsès II.*

Les colonnes de la salle hypostyle du grand temple de Karnak sont ornées de hiéroglyphes que les archéologues ont déchiffrés et classés comme des « représentations papyriformes ». Le visiteur debout au pied des colonnes paraît minuscule.

A partir du sommet de cette pyramide à degrés naturelle, trois dynasties de « rois-soleil » firent creuser leurs tombes, permettant à certains membres de leur famille d'y aménager également leur sépulture. Aménophis III et Aï s'établirent dans l'oued occidental, appelé maintenant Vallée des Singes. L'oued oriental est la Vallée des Rois proprement dite (XVIIIe dynastie). En arabe, Bibân el-Moloûk, qui veut dire « les portes des Rois »; les autres pharaons du Nouvel Empire, de Thoutmès Ier à Ramsès XI, furent ensevelis ici.

On compte soixante et une tombes, beaucoup plus que les Thébains eux-mêmes n'en signalèrent aux voyageurs romains. Les unes, simplement encombrées de déblais, furent facilement nettoyées; mais d'autres ne furent dégagées d'un amas déconcertant de pierraille qu'au prix de travaux pénibles (Belzoni 1818, Loret 1898-1899, Théodore Davis, mécène américain, 1903-1913, Lord Carnarvon et Carter 1913-1923). Dans ces tombes, les rois étaient déposés dans une série de sarcophages emboîtés les uns dans les autres, dont le dernier en pierre était énorme. L'or magique, sous forme de masques, pectoraux et amulettes, recouvre la momie. Le mobilier quotidien du prince a

Toute une civilisation dans les tombes

Peinture funèbre dans une tombe de la Vallée des Rois. Le dieu Anubis accompagne les âmes dans leur voyage d'outre-tombe.

*Masque de Toutankhamon sous les traits d'Osiris,
dieu de l'au-delà. Ce n'est là qu'une partie du sarcophage en or
de cent dix kilos; où fut trouvée la momie du jeune pharaon
décoré des symboles du pouvoir divin.
Barbe, cils et sourcils du masque sont en lapis-lazuli.*

*Tête de momie appartenant à la tombe de Nebera,
chef des curies royales de la XVIIIᵉ dynastie, découverte dans
la Vallée des Reines en 1904 (musée égyptien de Turin).*

été déposé près de celui-ci: armes, chars, vaisselle, habits brodés, coffrets et autres objets d'ameublement. A tout cela s'ajoutent: les chaouabtis de diverses matières, les idoles, les chapelles démontables, les statues de bois qui servaient pour les funérailles. Tout est précieux et fait à la mesure du roi. Les trois petites chambres de Toutankhamon, miraculeusement conservées intactes, nous ont révélé tout cela, et si l'on songe que Toutankhamon n'était pas l'un des pharaons les plus puissants, on est pris de vertige en imaginant les splendides objets qui devaient emplir les énormes hypogées de Ramsès III et Aménophis III.

Protégée par des fortins, l'entrée de la Vallée des Rois était certainement interdite aux profanes. Sans doute préparait-on les tombes royales en grand secret; les accès étaient murés et bloqués sous un remblai, sans être vraiment invisibles. Les pillages commencèrent au cours des bouleversements qui causèrent la fin du Nouvel Empire. Les seules sépultures dans lesquelles les touristes sont priés d'observer l'attitude respectueuse qui convient à la visite d'un cimetière, sont les tombes d'Aménophis II et de Toutankhamon: retrouvés dans leurs sarcophages, ces deux pharaons ont été laissés pieusement en place.

L'un des béliers de la fameuse allée de Karnak.

▶ *Tête de la reine Nefertari, femme de Ramsès II, portant la coiffe royale, selon la coutume de la XIXe dynastie. La tombe de Nefertari fut découverte dans la Vallée des Reines en 1904 par une expédition archéologique italienne.*

Karnak: la majestueuse allée des Béliers (dans la partie ouest des constructions) où défilaient de somptueux cortèges royaux.

56

Des sépulcres
qui défient le Malheur

Les tombes d'Aménophis III, de Séthi Ier et de Ramsès II furent également malmenées, soit quelques années à peine après la mort du souverain, soit plus récemment, et à plusieurs reprises par des bandes de voleurs modernes organisés qui passèrent par les ouvertures pratiquées par les pilleurs de l'Antiquité. Ramsès III fut à trois reprises extirpé de sa tombe et réenseveli discrètement par des sujets fidèles du royaume, dans des cachettes tenues toujours secrètes. Ahmosis, Aménophis Ier, Thoutmès II et Ramsès II le Grand déménagèrent. Un document de l'époque déclare: « En l'an 14 du troisième mois de la deuxième saison, le sixième jour, le roi Ousìmarê Ramsès fut transféré pour être de nouveau enseveli dans la tombe de Menmarî Séthi Ier, en la présence du grand prêtre d'Amon, Pinutem. » Mais là non plus ils ne trouvèrent pas la paix, les voleurs se faisant de plus en plus audacieux. Enfin ils furent placés dans la tombe de la reine Inhapi. Ce ne fut pas encore leur dernière demeure. La momie de Ramsès II fut retrouvée, avec une quarantaine d'autres, par Emile Brugsch, un envoyé de l'archéologue Maspero, en 1881, sur les indications du voleur Abd el-Rasoul.

Brugsch pénétra courageusement dans le trou profond d'un rocher de la Vallée des Rois, descendit environ onze mètres, jusqu'à ce qu'il vît à la lueur d'une torche, la plus extraordinaire collection de sarcophages qu'un archéologue eût jamais l'occasion de contempler.

Une autre aventure fascinante vécue dans la Vallée des Rois fut la découverte par Carter et Lord Carnarvon de la tombe de Toutankhamon. L'aspect le plus incroyable de l'entreprise fut que les deux archéologues (ou pour mieux dire l'archéologue et le mécène) avaient décidé à l'origine de trouver justement cette tombe, alors que la vallée avait déjà été fouillée mètre par mètre. Ce fut grâce à quelques faibles indices que les deux hommes, avec une ténacité inouïe, réussirent à localiser la tombe: quelques morceaux de vases et deux petites feuilles d'or sur lesquelles on lisait le nom du roi. Ils creusèrent dans un vaste triangle de terrain, non encore fouillé par les bêches, sans autre résultat positif que la découverte de quelques vestiges de cabanes ayant probablement appartenu à des ouvriers qui avaient travaillé à la construction des tombes. Le 3 novembre 1922 (les fouilles duraient déjà depuis quelques années), Carter se décide à démolir les cabanes. Lord Carnarvon était en Angleterre. Le jour suivant un gradin de pierres apparaissait; le 5 novembre on trouvait l'entrée d'une tombe, une porte fermée, scellée et murée à la chaux. Pendant la nuit, après avoir laissé des hommes de confiance de garde à la porte, Carter parcourut la vallée à cheval et la plaine jusqu'au Nil; il arriva à l'aube à Louqsor et expédia un télégramme en Angleterre à Lord Carnarvon, lui demandant de venir tout de suite.

L'entrée de la tombe de Toutankhamon dans la Vallée des Rois. La sépulture du jeune pharaon mort à dix-huit ans fut découverte en 1923 par Carter et Lord Carnarvon qui y trouvèrent des trésors inimaginables.

Bas-relief d'une tombe, représentant le couple qui s'y trouve enseveli. Sur les visages de profil, l'œil est dessiné comme si la tête était représentée de face.

Le 24 novembre, les deux hommes reprirent la fouille, pleins de confiance. Ils trouvèrent bien vite un sceau au nom de Toutankhamon, mais aussi des traces du passage de voleurs. Au fond du corridor d'entrée, une seconde porte scellée se dressait, à dix mètres de la première. Là encore ils trouvèrent les sceaux de Toutankhamon et de la nécropole royale, et d'autres traces de voleurs. Par un trou pratiqué dans la porte, Carter, tremblant d'émotion, put jeter un regard à l'intérieur: des barres d'or, un trône en or, des vases d'albâtre, des coffrets précieux et deux grandes statues noires avec des tabliers et des sandales d'or. Sur le seuil, des fleurs desséchées, ultime hommage au pharaon. Sur la droite de cette chambre orientée vers le nord, ils remarquèrent une troisième porte marquée par des tentatives d'effraction. Le travail serait difficile et délicat (il y avait tant de choses dans cette pièce qu'il eût fallu des mois pour les cataloguer et en faire un inventaire exact). Carter et Carnarvon décidèrent de suspendre les recherches, de recouvrir la tombe et de se préparer pour l'hiver suivant.

Le 16 décembre 1923, la tombe fut réouverte. La fouille de l'antichambre permit de découvrir sept cents pièces de valeur inestimable, qui ne furent complètement déménagées que vers le milieu de février. Les fouilleurs se

Détails de l'un des deux sarcophages de bois doré, richement décorés, qui contenaient la momie du roi Toutankhamon.

Vases à onguents, une aiguille et autres objets faisant partie
d'une trousse de toilette.

Vases en faïence destinés à recevoir des onguents
et des essences parfumées: deux de ces vases
sont en forme de porcs-épics.

Statuettes funéraires et boîte historiée destinée
à les contenir.

Le sarcophage d'or
de Toutankhamon

Vases pour les huiles parfumées (XVIIIe dynastie).

préparèrent alors à un travail plus intéressant, plus spectaculaire: retrouver la momie du roi, si toutefois celle-ci était encore dans sa sépulture. Le résultat ne fut pas décevant: derrière la porte, il y avait un mur en or massif qui n'était autre que la partie antérieure d'un coffre gigantesque occupant presque toute la pièce, seul un espace de 64 centimètres séparait ce coffre du mur. Carter découvrit aussi une porte à battants, l'ouvrit et vit derrière un autre coffre en or. Les cachets de la porte de ce coffre étaient intacts.

Emus et incapables d'articuler une parole, les archéologues se retirèrent avec respect. Ils remirent la poursuite des recherches à un autre jour. Mais ils restèrent encore un peu dans une petite chambre latérale, à contempler les plus beaux trésors qu'ait jamais contenus une sépulture. Cependant, le jeune roi n'avait régné que peu de temps et était mort à dix-huit ans sans avoir accompli d'œuvre marquante. On ne put admirer le sarcophage taillé dans un bloc unique de quartz jaune et recouvert d'une dalle de granit que quelques années plus tard, après la mort de Lord Carnarvon. Sous la dalle, il y avait un portrait en or du jeune souverain, ses mains tenant le bâton courbé et le fouet. Près du visage, une petite couronne de fleurs. Les sarcophages intérieurs étaient au nombre de trois, emboîtés l'un dans l'autre. Le premier, juste en bois doré, resta dans la Vallée des Rois; le second, en bois doré également, est incrusté d'une pâte de verre multicolore; le troisième est en or massif.

Après six ans de travail, la momie du roi couverte d'amulettes, de bandelettes, d'objets d'une valeur inestimable, fut mise au jour. Et le « mystère de Toutankhamon » ne finit pas là.

Lord Carnarvon avait dépensé sa fortune dans cette entreprise qu'il ne put mener à terme: il mourut d'une piqûre de moustique, mystérieusement, dit-on. Puis Mace, un archéologue qui avait aidé Carter à ouvrir la chambre sépulcrale, mourut à son tour. Ensuite le demi-frère de Lord Carnarvon se suicida et enfin Lady Carnarvon mourut d'une piqûre d'insecte, comme son mari. On parla de la malédiction du pharaon. L'unique exception fut Carter, mort à Londres en 1939, à soixante-six ans.

Quand on sort des tombes et que l'on revient à la lumière, on a l'impression de renaître. Le soleil est aveuglant, la vallée scintille avec ses stries de grès et de calcaire. Les enfants, abandonnés avec mépris à l'entrée, s'agitent et conduisent les touristes vers un petit bar accroché à un rocher où quelques Arabes sommeillent enveloppés dans leurs djellabas. Qu'attend-on? Une autre excursion par des sentiers impraticables, une autre fatigue, mais qui en vaille la peine une fois encore.

Surnommée place de la Beauté par les Anciens, en

La belle reine Nefertari « souveraine d'Egypte et du monde » (XIIIe siècle avant Jésus-Christ) en contemplation, détail d'une peinture trouvée dans sa tombe (Vallée des Reines).

arabe Bibân el-Harim ou porte des Femmes, la Vallée des Reines, réplique modeste de la Vallée des Rois, est la partie la plus méridionale des nécropoles thébaines. Elle contient les sépulcres des épouses et filles de rois. La plupart des tombes ont été dégagées du sable et des détritus qu'y avait laissés Ernest Schiapparelli, égyptologue piémontais qui dirigea une mission archéologique de 1924 à 1927. On peut y admirer les croquis délicats qui enjolivent la tombe inachevée de Sitrat, mère de Séthi Ier, les visages de Iset et de Thiti, reines de la XXe dynastie, et l'hypogée de Nefertari, la belle épouse de Ramsès II.

Mais la plus grande harmonie entre la splendeur d'un monument funéraire dédié à une reine et le paysage ouvert et désertique se trouve dans le temple de Hatchepsout, à Deir el-Bahari. Là, également, se marque avec le plus de force la puissance d'une souveraine. A mi-chemin entre le débouché de la Vallée des Rois et celui de la Vallée des Reines, la paroi rocheuse dessine un vaste amphithéâtre qui marque le véritable centre de la nécropole thébaine. Le monument qui a rendu fameuse cette localité est l'imposant temple dédié à la plus grande reine de l'Antiquité: Hatchepsout, souveraine de la XVIIIe dynastie. Il a été extrait en partie de la montagne même et il en a conservé toute la majestueuse grandeur. Conçu par Senomiôh, favori de la cour, le temple est formé de plusieurs terrasses que relie une rampe centrale, et est divisé en étages par des portiques décorés de bas-reliefs peints. Ceux qui évoquent la naissance divine de Hatchepsout et l'expédition maritime lancée par la reine au pays

Effigie de Hâthor, déesse de l'amour; l'une des divinités auxquelles était dédié le temple de la reine Hatchepsout.

La grande reine Hatchepsout

A mi-chemin environ entre la Vallée des Rois et la Vallée des Reines, dans la région appelée Deir el-Bahari, le visiteur trouve le grand temple de la reine Hatchepsout (XVIIIe dynastie), femme de Thoutmès II. Cette souveraine gouverna longtemps l'Egypte à la place de son fils Thoutmès III, encore enfant, en épargnant au pays les longues guerres habituelles. Le temple de la reine Hatchepsout est un bel exemple d'architecture en harmonie avec le paysage environnant.

des épices, ou de Pount, l'actuelle Somalie, sont particulièrement beaux. La terrasse supérieure donne accès au sanctuaire principal et à plusieurs chapelles. Là, dans des niches à demi cachées, Senemiôh, fondateur du temple, s'est fait représenter en peinture. A l'angle nord du portique supérieur, un autre portique se greffe à angle droit sur le premier; une salle hypostyle relie ce carrefour à un sanctuaire du dieu Anubis.

De Deir el-Bahari, un sentier caillouteux qui grimpe entre les tombes de la nécropole de Cheikh Abd el-Gournah nous ramène à la route carrossable. Sur le côté de la route opposé à la montagne, des temples se succèdent: temples de Thoutmès III, d'Aménophis II, de Ramsès II, de Thoutmès IV, de Taousert, de Ménéptah, d'Aménophis III. Arrêtons-nous pour contempler le plus important de tous, le temple funéraire du grand pharaon Ramsès II.

Les savants du siècle dernier le surnommèrent Ramesseum, tandis que les anciens Egyptiens en parlaient comme « du château aux millions d'années du roi Ousimarê » (l'élu de Rê). L'historien Diodore l'avait appelé « Tombeau d'Osymandias », nom de prédilection de Ramsès II. La destruction des murs extérieurs a transformé les cours en esplanades sableuses et les salles hypostyles en arcades fraîches et ombragées que soutiennent des colonnes fines et puissantes.

◀ *La grande statue de la reine Hatchepsout à Deir el-Bahari. A l'origine les statues égyptiennes étaient vivement coloriées; il y a encore des traces des anciennes couleurs effacées par les siècles.*

Non loin de Deir el-Bahari, au-delà de la nécropole de Cheikh Abd el-Gournah, furent élevés les temples funéraires de plusieurs pharaons. Le « Ramesseum », temple de Ramsès II et, à terre, la tête d'une des statues.

Ce qui reste des pilastres osiriens décapités et de l'énorme pylône à demi écroulé forme l'ensemble de ruines le plus romantique de toute l'Egypte et permet encore de se faire une idée suffisante de leur splendeur passée. Et le touriste le moins attentif est forcé de remarquer le torse d'un Ramsès géant, en granit rose, « Soleil des Souverains », trônant dans sa gloire (18 mètres de hauteur, plus de 1 000 tonnes) et la tête colossale du pharaon jetée à terre — on ne sait quand — entre les pieds énormes de statues plus anciennes. Les motifs décoratifs qui relatent, pour la plupart, les grandes entreprises du pharaon — guerre contre les Syriens et les Hittites, combats, assauts, capture de prisonniers — sont stupéfiants; avec les armées égyptiennes en marche, les camps pleins d'activité et, dominant le monde, les dieux de l'Olympe égyptien. Le souverain y apparaît souvent porté en triomphe ou au combat, mais toujours entouré de flabellums.

Des colosses qui parlent

Sur la route qui va vers le fleuve et où trottent les ânes avec des enfants sur le dos, s'élèvent deux colosses de Memnon représentant Aménophis III. Ces deux célèbres statues, hautes de seize mètres environ, et tournées vers le Nil, c'est-à-dire vers le sud-est, sont érigées au milieu des terres cultivées et inondées périodiquement par les

◀ *La toilette d'une dame égyptienne: peinture trouvée
dans la petite tombe dite de Djeserkheraseneb, XVIIIᵉ dynastie.*

*Dans la tombe d'un fonctionnaire royal nommé Nakht
(à Thèbes), le célèbre groupe des trois musiciennes jouant
de la flûte, de la mandoline et de la harpe. Ce groupe est
justement réputé pour la finesse des traits des jeunes
femmes et la surprenante expression des mains.*

crues, mais proches aussi du désert. L'une et l'autre montrent le pharaon dans la position consacrée: assis les mains sur les genoux. Le trône est décoré des symboles des deux fleuves, celui du nord et celui du sud (il s'agit toujours du Nil) et de figures de femmes, la reine mère Moutemouïa et l'épouse, la reine Tiyi. Le mieux conservé des deux colosses est celui qui se trouve le plus au sud: il a gardé un aspect homogène. La partie supérieure du corps du second se compose de couches superposées, tandis que la partie inférieure est, comme pour le premier, faite d'un matériau compact: un unique bloc de grès.

Dernière étape

Medinet Habou est, après Karnak, l'ensemble de ruines le plus considérable de toute la région. Mariette fut le premier à comprendre l'importance de ce site, et il y fit donner les premiers coups de pioche pour ramener au jour les monuments archéologiques qu'il recelait. Mais c'est à une mission américaine, travaillant à partir de 1920, que l'on doit la remise en état des deux grands temples de Thoutmès et de Ramsès III. Aucun de ces deux édifices n'est l'œuvre d'un seul architecte ni d'une seule époque; on y travailla sous divers règnes et pendant des dizaines d'années. Les innovations et les additions furent nombreuses. La construction du premier temple, entreprise sous Aménophis Ier, se poursuivit sous Thoutmès Ier puis sous son successeur Thoutmès II, l'époux de la reine Hatchepsout dont nous avons admiré le temple funéraire à Deir el-Bahari. Il s'agit en fait d'un sanctuaire fermé qu'entoure une galerie extérieure; deux chambres latérales et une cour antérieure donnent à l'ensemble la forme d'une croix latine. Tout près de la cour s'élève un bâtiment assez original appelé Pavillon Royal.

On crut longtemps posséder là un exemple presque unique de l'architecture civile de l'époque des pharaons, mais aujourd'hui on admet qu'il s'agit d'une construction de caractère militaire servant d'entrée triomphale à un édifice important, imité des forteresses asiatiques que Ramsès III avait assiégées durant ses campagnes. Ce Pavillon Royal comprenait en réalité un corps de garde, un réduit fortifié et une salle intérieure aujourd'hui presque détruite. Son entrée est alignée avec l'entrée principale du grand temple de Ramsès III, qui occupe, à soixante mètres du mur d'enceinte, un vaste emplacement.

*La première des deux cours du temple de Ramsès III.
Au fond, des ruines de l'époque romaine.*

Le silence de mort qui pèse sur le site hallucinant de Petra
(redécouvert il y a moins d'un siècle et demi)
n'est troublé que par les appels de quelques Bédouins
surveillant leurs troupeaux. Cette terre ingrate,
où les pâturages sont toujours avides d'eau, n'offre
que de maigres ressources aux animaux et aux hommes.

PETRA
HALLUCINANTE
VILLE ROUGE

Es Siq (la crevasse) profonde de 20 à 100 mètres était, à l'origine, le lit d'un cours d'eau (oued) asséché lorsque la roche des montagnes fut profondément incisée autour de l'amphithéâtre naturel où surgit Petra.

Le couloir d'entrée à Petra est si étroit par endroits qu'il permet tout juste le passage d'un homme à cheval.

L
A ROUTE descend du petit village de Wadi Mousa à l'embranchement de la ligne Amman-Ma'an-Akaba, rafraîchi par des vignobles et des jardins à terrasses, jusqu'à El-i-Diji. On laisse derrière soi le plateau de la Jordanie, aride et désolé; au-delà le chemin est coupé par le bastion de grès rougeâtre qui s'élève du labyrinthe de Petra, à environ 30 kilomètres de la frontiere israélienne tracée dans le Negeb à un peu plus de 100 kilomètres de la mer Rouge. On pénètre dans la vallée à pied ou à cheval, comme il y a 3000 ans ou plus. Les roches que le temps a modelées en masses arrondies, en étranges tours à coupole, se dressent semblables à des spectres immobiles.

Les façades des deux tombes superposées, altières et solitaires, creusées à haute altitude dans la montagne rugueuse, apparaissent et disparaissent au détour des pierres. Une grande digue faite de blocs carrés, barre une fois de plus la route. Mais dans la roche s'ouvre une étroite gorge, baignée d'une ombre pourpre. Son profil est net et précis; elle semble avoir été taillée à coups d'épée par une divinité en colère. Ici passe la route de Petra. Nous sommes au pays des miracles. Qui a prononcé la formule magique: « Sésame, ouvre-toi »?

Le « Trésor des Pharaons »

Es Siq (la crevasse) est un défilé large de deux à cinq mètres et long d'un kilomètre et demi. Le sentier, desséché, tortueux, se glisse entre deux parois de grès qui s'élèvent, vertigineuses, jusqu'à une centaine de mètres du sol. Les jeux d'ombre, les reflets rouges et dorés font naître une indéfinissable angoisse. L'œil cherche instinctivement en l'air le mince ruban de ciel bleu et le soleil. On n'entend que le bruit des cailloux qui roulent sous les sabots du cheval du guide arabe et, par instants, un cri d'oiseau. Un souffle de vent ploie le feuillage des lauriersroses: signe de vie imprévu dans ce chaos pétrifié. On a l'impression d'avancer sans espoir dans un corridor sans fin, comme dans certains songes. De mystérieux regards semblent vous suivre d'en haut, invisibles et vigilants. Un peuple de morts guette le profanateur étranger en échangeant des signes silencieux.

Tout à coup, c'est le prodige: couronnée de parois de pierre, apparaît dans le soleil, invraisemblable, une portion de la façade d'un temple couleur de corail. Après la semi-obscurité du Siq, le changement est si brutal que l'œil en demeure ébloui. Puis, peu à peu, les proportions parfaites des sculptures se révèlent ainsi que la teinte merveilleuse de la roche, d'où se détachent, au premier plan, des lauriers-roses, souples et vifs.

Le Khaznet Firaoun ou « Trésor des Pharaons », taillé dans le rocher sur un sixième environ de la hauteur de la montagne, est le monument le mieux conservé de Petra; en fait sa situation l'a bien protégé contre l'action destructrice des éléments. C'est étonnant, incroyable. La beauté singulière de l'édifice est accentuée par le contraste entre les lignes douces de l'architecture et la sauvage âpreté des parois rocheuses. La façade se livre au premier regard. Elle est du style le plus gracieusement baroque; sur deux étages; un pronaos à tympan et à colonnes corinthiennes, et, au-dessus, encadrant un petit édicule rond, sculpté avec autant de minutie que d'élégance, deux contructions rectangulaires dont les angles sont des colonnes. Elle ressemble à un gigantesque camée, elle en a la tendre couleur et la lumineuse transparence.

Une légende locale raconte qu'un trésor y est caché, peut-être dans l'urne du sommet. C'est là l'origine du nom de ce temple qui fut probablement construit à l'époque de l'empereur Hadrien et devait être consacré à Isis. En fait, l'on aperçoit, sur son fronton, le symbole de la déesse égyptienne, le disque du soleil posé sur deux cornes de vache, flanqué de deux épis. Au-delà du temple, la gorge tourne brusquement en direction du nord-ouest, en s'élargissant un peu. Creusées dans de hautes murailles, apparaissent de grandes tombes, aux formes et dimensions variables, ainsi que de nombreuses grottes sépulcrales. Encore plus loin, d'une aire dégagée mesurant environ 1000 mètres sur 600, surgit un théâtre qui pourrait contenir 3000 spectateurs assis. Il est taillé dans la pierre, et il marque l'entrée de la ville véritable. Edifices publics et privés sont groupés là, au fond d'un amphithéâtre naturel dont les parois de grès bariolé reflètent toutes les nuances de l'arc-en-ciel. Tandis que les crêtes des montagnes dessinent leurs profils tourmentés et sauvages sur un ciel d'un azur limpide, la base, recouverte de façades et ornée de colonnes, est travaillée avec tout le raffinement et l'harmonie de l'art. Une route centrale suit le cours de l'oued; quelques petits ponts réunissent les rives.

Les tombes les plus grandioses sont alignées sur les flancs du massif montagneux de El-Khoubzé, au nord-est de la ville. La « Tombe de l'urne », au pied de la montagne, est creusée dans un grès de couleur délicatement estompée. Quatre immenses colonnes doriques rompent la monotonie de la façade; entre elles, s'ouvrent des niches et une fenêtre. L'intérieur est parfaitement conservé. La « Tombe corinthienne » est sculptée dans le style du Khaznet, mais il ne reste qu'une ébauche de la façade.

La célèbre « Tombe à trois étages », la plus vaste de Petra, imite les palais romains. Les quatre portes sont encadrées de pilastres nabathéens sur lesquels reposent des frontons triangulaires. La rangée du dessus compte dix-huit colonnes. Le dernier étage a été construit avec des blocs de pierre, la paroi rocheuse n'étant pas assez

Tombes creusées dans la montagne

Dans l'espèce de « canyon » menant à la ville morte, la façade de cette niche montre encore l'amorce d'un pont, ou, plus probablement, d'un arc de triomphe qui s'écroula au début de notre siècle.

Le Khaznet Firaoun (Trésor de Pharaon) est certainement le monument le plus beau et le mieux conservé de toute la ville morte de Petra. Creusé dans la roche, le temple était dédié à la déesse égyptienne Isis.

haute. Plus avant, s'élève l'harmonieuse tombe de Sextus Florentinus, gouverneur de la province d'Arabie; on lit son mon dans une épigraphe, sur le fronton, au centre duquel on distingue, usées et corrodées, une hydre et une méduse.

Sur les montagnes du nord-ouest se dresse l'un des monuments les plus majestueux de Petra connu sous le nom arabe d'El-Deir, « le couvent ». De style identique au Khaznet, « le couvent » a de plus larges proportions (42 mètres de haut), mais il est moins élégant et moins décoré. Toutefois la sobriété de son ornementation, la puissance des supports nabathéens et la simplicité de la frise dorique, en font un édifice grandiose. De là, les jours très clairs, on distingue les montagnes de Palestine et le Sinaï. Si l'on en juge par sa situation élevée, le « couvent » devait être plutôt un temple qu'un tombeau. Un petit autel situé au fond de la salle intérieure, dans une niche, semble confirmer cette thèse.

◀ *Tombe de Sextus Florentinus, gouverneur romain de la province d'Arabie. En haut, une fillette bédouine à demi cachée par le bord du rocher, à cette hauteur vertigineuse.*

Ce type de roche, habituellement friable et composée de grès, ne permettait pas aux Nabathéens d'en extraire un bon matériau de construction. C'est pourquoi les architectes de Petra s'orientèrent vers un type d'édifices creusés dans les parois de la montagne. La photo montre une série de tombes ornées d'une frise « à petits degrés » qu'on retrouve sur les plus anciens monuments nabathéens. Les stigmates de l'érosion sont très visibles.

73

On connaît peu de chose de l'histoire de Petra et de ses habitants, les Nabathéens. De la ville édomitique primitive, appelée Sela dans la Bible, il ne reste aucune trace. Sela, en hébreu, signifie « la roche » et Petra en est l'exacte traduction en langue hellénique. L'implantation de clans édomites (ou iduméens) au sud de la Judée, vers le VIᵉ siècle avant Jésus-Christ, est due à la pression des Nabaioth, que mentionne l'Ancien Testament, et qui s'identifient probablement avec les Nabaitous dont parlent les textes assyriens. Cette puissante tribu arabe, après la chute de Ninive, s'est soustraite à l'esclavage d'Assurbanipal en se retranchant dans l'inexpugnable forteresse naturelle qu'est Petra.

La première mention historique de Petra remonte à l'an 312 avant Jésus-Christ, quand la ville fut conquise par Antigonos qui y recueillit un considérable butin. A cette époque, les nombreuses cavernes naturelles devaient se prêter admirablement à l'accumulation des marchandises et des richesses volées aux caravanes. Mais les Nabathéens, peu belliqueux de nature, se rendirent compte qu'il était moins adroit et moins avantageux de piller les caravanes que de leur faire payer des droits de péage et de leur garantir, en échange, un voyage sûr à travers tout le territoire. Ce fut l'origine de la prospérité de Petra.

Lors de fréquents contacts avec l'extérieur, les Nabathéens subirent eux aussi la fascination du monde grec. C'est probablement de cette époque que date le commencement de la construction de la ville. Les parois rocheuses furent taillées, travaillées, sculptées, transformées en façades solennelles de monuments, demeures funéraires, probablement royales. De leur vivant, les Nabathéens habitaient dans des cavernes ou sous la tente. Au sommet des montagnes, la roche fut nivelée. On y établit des « hauts lieux » de sacrifices, où les victimes étaient immolées aux divinités: à Douchara, que les Grecs assimilaient à Bacchus: à Allât, déesse de la guerre, à Manaroât, à Hobal et à certains rois déifiés: Malikou, Obodas ou Arétas. Dans ces sanctuaires à ciel ouvert, on trouve toujours un autel avec la cuve destinée à recueillir le sang, ainsi que des obélisques: ce sont les dieux du rocher que vénéraient les Nabathéens. L'extrême friabilité du grès ne permettait pas d'édifier des monuments trop travaillés. Les architectes furent contraints de créer un style adapté à la matière première dont ils disposaient. Ce style s'inspirera des merveilleux éléments grecs, assyriens, égyptiens. L'habileté des architectes et des sculpteurs nabathéens est stupéfiante: aucune tombe, même petite et modeste, n'est écrasée par les roches qui la surplombent. Monuments et façades encastrés dans le rocher se fondent harmonieusement, on pourrait dire naturellement, avec le paysage, et rien ne nuit à la beauté sauvage de l'endroit.

Architectes et pillards

Un des problèmes les plus importants pour la communauté, à mesure qu'elle se développait, était l'approvisionnement en eau. Les deux sources les plus proches devinrent rapidement insuffisantes pour les besoins de la population. On tailla dans la roche un canal encore visible le long du Siq, et qui, partant de Wadi Mousa, atteignait le centre de la ville; mais ce canal, en cas de siège, pouvait être facilement bloqué. Pour parer à cet inconvénient, de gigantesques citernes furent creusées dans la montagne, ainsi qu'un réseau très dense de canaux destiné à y acheminer l'eau de pluie. L'un des sommets qui domine Petra a reçu le nom arabe d'Oum el-Bizara: « la mère des citernes ».

Grâce à une politique habile, les Nabathéens surent tirer profit de la faiblesse des États voisins et, sous le règne d'Arétas III (forme hellénisée du nom arabe Harith) au Ier siècle après Jésus-Christ, ils étendirent leur domination jusqu'à Damas. Mais l'on subissait partout la pression de Rome et de sa puissance militaire. En l'an 106 après Jésus-Christ, Petra et sa région devenaient province de l'Empire romain, « l'Arabie Pétrée ».

L'influence de la culture se fit particulièrement sentir dans l'architecture; les façades des tombes grandissaient, elles s'ornaient de colonnades. Les premiers édifices cons-

Le khan est une tombe dont l'entrée est soutenue par des colonnes cylindriques.

*En 106 de notre ère, les Romains occupèrent Petra et leur
influence marqua largement la vie de cette ville née
de la montagne. Cette énorme tête de Jupiter, provenant
d'une statue qui s'est effondrée, montre bien que la conquête
romaine a passé par là.*

truits sur le sol remontent à la période romaine; au fond
de la vallée, près de la route, s'élevaient de nombreux temples dont il reste peu de chose. Vers le IIIᵉ siècle après
Jésus-Christ, le lent déclin de Petra commença. La route
des caravanes fut peu à peu abandonnée au profit d'autres
itinéraires plus tentants. Au nord, au cœur de la Syrie,
Palmyre, la ville rivale, « la fiancée du désert », affermis-
sait sa position. La vie de Petra s'est éteinte à mesure que
diminuait le trafic caravanier. Au moment de la conquête
arabe, il ne restait plus de la cité nabathéenne qu'une
gousse vide, une chrysalide.

Les Croisés y érigèrent une forteresse, puis Petra revint à son silence. Oiseaux et animaux de proie chassent sur les routes, jadis encombrées, et la nature efface inexorablement l'œuvre de l'homme. Le souvenir de la ville splendide s'est évanoui. On a même oublié où elle se trouvait. L'histoire de Petra devient une légende, une fable, un jeu de la fantaisie. En vain cherche-t-on à découvrir ses fameuses ruines. L'ancienne inaccessibilité de ses bastions rocheux, l'hostilité des tribus environnantes, ont longtemps veillé sur le sommeil de cette « Belle Endormie » et gardé pendant des siècles l'un des plus fascinants secrets de l'humanité. C'est seulement en 1812 que le Suisse Burckhardt, déguisé en Cheik bédouin, réussit à soulever l'énigme de la ville morte. Il fut le premier Européen à admirer ce qui subsistait de la gloire passée de Petra, ou tout au moins le premier qui en revint.

Aujourd'hui tout est silence. Certaines tombes et cavernes sont occupées par des Bédouins et, durant la journée, les roches vous renvoient l'écho des cris bizarres qu'ils poussent à l'adresse de leurs troupeaux. Une femme voilée passe, en plein soleil, royalement vêtue de noires guenilles: une « Parque » tenant la quenouille et filant la laine (ou notre vie) en suivant une chèvre noire. Après le crépuscule, les feux des nomades éclairent la nuit de minces lueurs; le vent qui s'engouffre dans les gorges apporte à l'oreille des chants mélancoliques. Habituellement, près des vieilles villes en ruine, de pauvres villages prolongent une apparence de vie. Mais à Petra, rien de tel: la vie s'est enfuie de cette vallée il y a quinze siècles et la sensation de la vanité des choses humaines, de leur précarité, angoisse le cœur. Si l'on ferme les yeux, l'imagination recrée des visions d'opulence orientale. Pendant quelques instants, la splendeur perdue revit, l'amphithéâtre rocheux s'anime; on entend la clameur des marchés grouillants; on perçoit le défilé des longues caravanes d'ânes et de chameaux qui apportent de l'Inde, de la Mésopotamie, de l'Arabie, du royaume de Saba, des marchandises et des esclaves, des parfums et des étoffes précieuses, de la myrrhe et de l'encens. Mais ce n'est qu'une brève illusion. Tout se tait et pour toujours, dans la pesante solitude. Seule, reste l'œuvre de l'homme: les temples, les mausolées qui changent de couleur selon l'heure et la saison, blancs comme du marbre sous la lune, rose corail à l'aube, acajou foncé au coucher du soleil. Vent et pluie, gelées et chaleur ont travaillé patiemment le sable et y ont tracé des dessins fantastiques. Les sculptures affleurent à peine, elles sont le visage du passé sous un linceul de voiles colorés.

Petra est unique, parmi toutes les villes anciennes. A Palmyre, à Persépolis, à Balbek, ailleurs encore, survit un paysage désolé d'os et de vertèbres: chapiteaux, frontons, frises, colonnes, arcs que les savants ont examinés et qui leur ont permis de reconstituer le squelette entier. Ces lieux sont pour toujours de vastes musées à ciel ouvert.

Vestiges d'un temple romain et d'un arc de triomphe qui comptent parmi les très rares constructions à ciel ouvert de Petra.

Le lieu du Jugement Dernier

Cette tête expressive, en pierre corrodée par le temps, provient des ruines de Petra. Elle appartient aujourd'hui au musée d'Amman.

Au contraire, conservé par un mystérieux processus de pétrification, le grand corps de la capitale des Nabathéens est intact. Toutefois, il se décompose lentement sous l'action de la pluie qui délave et du sable qui ronge.

Ce n'est pas dans la vallée de Josaphat, verte d'oliviers, mais peut-être ici, devant les falaises de la ville rose et rouge, presque aussi vieilles que le temps, que les trompettes du Jugement Dernier sonneront le rappel d'une humanité de morts.

Dans cette niche votive, à l'entrée de Es Siq (crevasse longue d'un kilomètre et demi) l'on a trouvé les restes d'une statue d'une divinité que révéraient les Nabathéens.

PERSÉPOLIS
L'AÉRIENNE CITÉ
DE DARIUS

UN PETIT village d'Iran est le rendez-vous de milliers de Persans, de savants et de touristes venus de toutes les parties du monde. Il s'appelle Takh-e-Djamchid; il est situé sur la route Téhéran-Ispahan-Chiraz, à quatre-vingts kilomètres de cette dernière ville. Personne n'en aurait jamais entendu parler si sur les pentes du mont Kouh-e-Rahmat qui le domine ne surgissait Persépolis, la fabuleuse cité construite par Darius le Grand aux environs de 518 avant Jésus-Christ. De Paris, on atteint Téhéran en avion en quelques heures. Ensuite, on peut choisir entre l'autobus, l'automobile louée ou bien encore l'avion. Ce dernier est certainement le meilleur moyen de transport pour Chiraz. Après il faut prendre une voiture.

Le paysage est fascinant, bien que tout soit désertique, montagneux, aride et brûlant. Après une quarantaine de kilomètres de cailloux et de broussailles, au-delà d'un éperon rocheux, apparaît soudain un tableau prodigieux: une immense vallée verte d'une centaine de kilomètres carrés. C'est la fertile plaine du Meroudast; et devant, contre la montagne, on devine Persépolis. Cette ville gigantesque se voit à peine à moins de deux cents mètres de distance; le soleil au zénith aplatit les images et l'immense cité de Darius, construite en pierre sur la roche de la montagne, se confond avec elle. Il faut attendre le crépuscule pour bien la voir de la plaine. Elle prendra du relief quand les ombres sortiront de dessous les objets. On s'arrête, au passage, à Takht-e-Djamchid, ce petit village au pied de l'acropole des Achéménides, où se rassemblent tous les voyageurs. En repartant, la longue route droite qui vient de Chiraz, avant de s'incurver brusquement vers la gauche en direction d'Ispahan, s'élargit en un vaste espace empierré. On abandonne ici l'époque contemporaine pour pénétrer dans l'âge Achéménide. Mais de tous temps, la ville de Darius a provoqué l'admiration des techniciens et des savants par ses constructions originales et « fonctionnelles ».

Une immense esplanade

Les architectes de Darius élevèrent au pied de la montagne une digue d'énormes blocs de pierre soigneusement taillés afin d'établir une vaste esplanade pour soutenir toute la ville. La muraille, aux endroits les plus bas du terrain, atteint 18 mètres de hauteur. Ils obtinrent ainsi un parallélogramme de 126 825 mètres carrés de base (445 mètres de large sur 285 mètres de long). Les fouilles que l'on pratique actuellement dans le flanc détritique de la montagne révèlent d'autres constructions et la profondeur véritable de la terrasse n'est donc pas encore exactement connue.

La déclivité de la montagne ayant été corrigée et le bord extérieur de cette immense terrasse pourvu d'une corniche, aujourd'hui détruite, le plan de base nécessaire à la construction des palais était prêt. Pour la première fois dans l'histoire de l'architecture, on employa le fer pour réunir les différents blocs de pierre encastrés au moyen de doubles queues d'aronde. L'accès principal, sur le devant de l'esplanade, est constitué par deux immenses escaliers symétriques, à double rampe, placés parallèlement à la muraille. Chaque escalier compte cent onze marches de faible hauteur — quelques centimètres chacune — ce qui

Une vue de Persépolis. De cette esplanade, on découvre un vaste panorama désolé. Au premier plan, les restes de la salle des Cent Colonnes; au second plan, à gauche, le palais de Darius, à droite l'Apadana, le plus grand édifice de la ville.

permettait au roi et à sa cour de les gravir à cheval. Au sommet de ces deux escaliers, à quelques mètres de leur point de jonction, se dressent les propyléés de Xerxès, sorte d'atrium à portiques par lequel on pénétrait dans la ville. Quatre pilastres hauts de 10 mètres et épais de 6, sculptés en forme de gigantesques taureaux ailés, à tête humaine, d'inspiration assyrienne, et deux des quatre colonnes originelles sont tout ce qui reste de l'entrée monumentale, que trois inscriptions, en susien, en assyrien et en perse, attribuent à Xerxès. D'énormes lézards ont élu domicile dans les fissures qui, au cours des siècles, se sont formées dans les pilastres.

Quittant les propylées, vers le sud, on arrive devant une vasque monolithe, haute de 2 mètres, dont la base presque carrée d'environ 4 mètres de côté, repose sur le sol. Cette vasque contenait probablement l'eau destinée à l'irrigation des vastes jardins qui occupaient les espaces libres entre les palais, quelques hectolitres pas davantage, à cause de l'énorme épaisseur de ses parois.

Darius, fondateur de Persépolis. Son trône est soutenu par les représentants des différents pays soumis à sa puissance.

A l'intérieur des portes du palais de Darius, des sculptures identiques se font face.

En continuant toujours vers le sud, on atteint l'Apadana. Deux escaliers montent à la plate-forme où s'élevait l'édifice le plus important de Persépolis (9000 mètres carrés) qui servait aux grands rassemblements annuels au cours desquels on célébrait des offices en l'honneur du dieu Ahoura-Mazda. Les peuples vassaux y apportaient leurs présents au roi et les satrapes venaient y confirmer leur fidélité.

La construction consiste en une vaste salle centrale de 75 mètres de côté environ. Trente-six colonnes, hautes de 18 mètres et groupées sur six rangs soutenaient sur leurs chapiteaux les poutres en cèdre du Liban. Parallèlement aux côtés nord, est et ouest de la salle, se dressaient trois portiques de douze colonnes chacun, disposées sur deux rangées. Le côté sud donnait sur des pièces et des corridors d'un emploi encore mal défini. Le flanc de la plate-forme et les escaliers qui débouchaient l'un au nord l'autre à l'est sont encore garnis de bas-reliefs représentant les cortèges défilant, lors de ces visites annuelles au roi.

Ces bas-reliefs évoquent de façon saisissante gens et choses de leur époque: les nobles sont l'élite mède et perse; ils ont des armes richement ornées, et conversent amicalement entre eux, une main posée sur l'épaule ou sur la main de leur interlocuteur. Ils portent des bracelets en forme de serpent; beaucoup d'entre eux tiennent une fleur. Les représentants des différents peuples soumis au roi s'avancent vers lui en longues files. Ils sont chargés de vases, de draperies, de tissus de prix, de bracelets, d'armes, d'animaux, parmi lesquels un étrange quadrupède, un okapi, selon les zoologues et les archéologues. Cette sorte de petite girafe ne fut redécouverte qu'au début de notre siècle, dans les forêts équatoriales du Congo.

Les grandioses palais impériaux

Descendant de l'escalier de la salle du Conseil et poursuivant vers l'est, le long d'un corridor, on arrive à la salle des Cent Colonnes (2 000 mètres carrés). Il n'en reste que les portails, quelques encadrements de fenêtres séparés par des niches, des morceaux de colonnes et environ soixante-dix de leurs soubassements. Deux portes s'ouvraient de chaque côté. Au nord, les bas-reliefs de la face interne des pilastres représentent des scènes d'audience; au sud, le roi sur son trône avec un serviteur debout près de lui. Au-dessus de la tête du roi figure le dieu Ahoura-Mazda. Les inscriptions sont placées dans la partie supérieure des pilastres et la décoration (gens armés et esclaves soutenant l'énorme estrade sur laquelle est posé le trône royal) se poursuit jusqu'en bas. Les quatre portes qui subsistent (deux à l'est et deux à l'ouest) sont sculptées sur toute leur hauteur: on y voit le roi combattant contre un lion et un taureau. Devant la salle des Cent Colonnes, du côté nord, se trouvait un péristyle de seize colonnes, gardé par deux taureaux monumentaux. Ce portique devait être l'entrée principale de la salle des Cent Colonnes; les fouilles ont ramené au jour deux portes qui s'ouvraient sur les bas-côtés du portique, quelques restes des colonnes et des deux taureaux.

Ce qui reste du palais de Darius, côté est, permet de deviner la splendeur de cet édifice.

Tout au long des escaliers qui montent à la ville, les bas-reliefs sculptés par les artistes perses sont autant d'hommages à la souveraineté de Darius. Voici des serviteurs qui viennent déposer leurs offrandes aux pieds du monarque.

Combat du lion et du taureau (salle du Consul).
Le taureau et le lion sont les symboles de la force, chers à l'art perse, et le roi est souvent représenté dans les sculptures luttant avec ces deux puissants animaux, et sortant vainqueur de l'épreuve.

D'après certains savants, la salle des Cent Colonnes servait de salle du Trône; d'autres archéologues pensent qu'on s'y réunissait pour des banquets.

Au sud de l'Apadana et sur un plan dépassant de trois mètres celui du plus grand édifice de Persépolis, Darius s'était fait construire son palais personnel. On y accédait par deux petits escaliers, à une rampe chacun, situés l'un au sud, l'autre à l'est. Un portique à colonnes disposées sur deux rangs conduisait à une salle centrale sur laquelle donnaient toutes les pièces d'habitation du Grand Roi. De ce palais on ne voit plus aujourd'hui que les escaliers détériorés et quelques portes, fenêtres et niches.

Plus au sud, à l'extrême bord de la terrasse, le palais de Xerxès, encore moins bien conservé que celui de Darius, occupait deux fois plus de place et comprenait des salles plus spacieuses, dont certaines avaient des plafonds parfois soutenus par des colonnes. Des sculptures qui ont survécu, l'on déduit qu'un plus grand luxe régnait dans ce palais et que, sans se soustraire aux obligations guerrières, Xerxès n'en aimait pas moins la bonne table et les objets précieux. Dans ces ruines, les effigies de serviteurs chargés de viandes et de boissons se rencontrent plus fréquemment que les scènes de combat. A l'est du palais, une bâtisse restaurée que l'on appelle le harem de Xerxès sert aujourd'hui de musée et elle abrite en outre le sous-directeur des fouilles. Il n'est pas certain qu'elle ait été véritablement le harem. En archéologie, il arrive souvent que des suppositions soient confirmées ou démenties par des études ou par des découvertes ultérieures.

Une autre construction, dont on ne sait pas très bien quel fut l'usage, pourrait avoir été la Trésorerie des rois. Cet édifice comprenait deux grandes salles rectangulaires, l'une comptant 99, l'autre 100 colonnes, et diverses pièces

plus petites. Dans une petite cour intérieure, un bas-relief représente Darius accordant une audience à un messager mède. Un autre bas-relief, qui lui faisait pendant, est maintenant au musée de Téhéran. Il semble que les énormes butins de guerre amassés par la Perse en Orient et en Afrique aient été déposés dans la « Trésorerie ».

Au-delà de l'immense esplanade, dans la roche de la montagne qui la domine, deux tombes royales dessinent en creux un T renversé. Sur le bras transversal sont sculptées quatre colonnes; leurs chapiteaux forment deux bustes de taureaux dont l'échine commune soutient une corniche. Entre les deux colonnes centrales se trouve l'entrée de la

Les tombes de deux Artaxerxès

Dans la partie de Persépolis qui était probablement réservée aux jardins, ces chapiteaux coiffaient les colonnes des palais aujourd'hui détruits. Lions et taureaux étaient sculptés dans un seul bloc de calcaire.

tombe qui devait être fermée par deux gros blocs de pierre. Sur le bras vertical, le roi debout sur son pavois que portent les représentants des différents peuples soumis, est en train d'officier devant un autel en l'honneur du dieu Ahoura-Mazda, représenté dans la partie haute du relief. En bas, sous les rangs des esclaves, de petits lions sont également sculptés.

A l'intérieur de la tombe, parallèlement à l'entrée, s'étend un corridor d'une dizaine de mètres de long et de 2 mètres de large. La paroi frontale est creusée, à environ 1,20 mètre de hauteur, de quelques niches à ouvertures carrées ou arquées, où l'on introduisait les sarcophages qui étaient ensuite fermés par de pesants couvercles de pierre. D'autres petites niches dans les parois, servaient à placer les objets nécessaires à la sépulture.

On attribue ce double tombeau à Artaxerxès II et à Artaxerxès III.

Détail d'un bas-relief du petit escalier est de Persépolis.
Personnage offrant deux pelotes prêtes pour le tissage.

Au sud de Persépolis, à quelques centaines de mètres de l'esplanade, un troisième tombeau, inachevé, était probablement celui de Darius III (336-330 avant Jésus-Christ) Ce monument funéraire a permis aux archéologues d'apprendre comment procédaient les Perses pour construire la dernière demeure de leurs rois. D'énormes blocs, taillés dans la roche, étaient transportés sur la terrasse, où d'autres tailleurs de pierre commençaient à sculpter les reliefs sans attendre que ne soit entreprise l'excavation de l'entrée et du corridor dans la montagne.

Par ailleurs, on a retrouvé entre les tombes des deux Artaxerxès les restes d'une gigantesque citerne, creusée dans la roche. Cette citerne, d'une capacité de plusieurs milliers d'hectolitres, fournissait à la ville, par des conduites souterraines, l'eau recueillie au moment des dégels et à la saison des pluies.

Voici en bref, d'après des sources grecques antiques et des inscriptions locales, les faits qui marquèrent la fondation, la vie, l'apogée, la décadence et la destruction de Persépolis.

Et d'abord, ceux qui provoquèrent l'avènement du fondateur de la ville, Darius, au trône de Perse. En 522 avant Jésus-Christ, Cambyse II, fils de Cyrus le Grand, regnait sur l'Empire, et cette année-là il combattit en Egypte.

Escalier est de Persépolis. Les hommages et les offrandes
des peuples asservis affluent vers le souverain.

L'effondrement d'un empire

Avant de partir pour ces terres lointaines, il avait fait tuer son frère Smerdis, qu'il soupçonnait de vouloir usurper le pouvoir en son absence. Mais le peuple ignora l'assassinat. Alors, profitant de cette situation, le mage Gaumâta se fit passer pour Smerdis, se couronna roi de Perse, et il ne se trouva personne pour prendre le parti du roi légitime. Cambyse, apprenant la trahison de ses sujets, quitta précipitamment l'Egypte; mais il périt à son tour dans un accident: il tomba de cheval sur son épée. Darius appartenait à une branche collatérale de la famille royale. Ce fut pourtant lui qui se chargea d'affronter Gaumâta avec quelques fidèles et de tuer l'usurpateur. A la suite de cette victoire, il monta sur le trône et son principal souci fut d'organiser efficacement le vaste empire qui, à cette époque, comprenait les territoires correspondant aujourd'hui à la Turquie, la Syrie, le Liban, Israël, une partie de la Libye et de l'Egypte, l'Irak, l'Iran, l'Afghanistan, le Pakistan (jusqu'au fleuve Indus), une petite portion de la Russie et de la Chine et l'île de Chypre. Darius divisa cet immense pays en vingt provinces.

Le règne de Darius dura trente-six ans. A sa mort, en 486 avant Jésus-Christ, son fils Xerxès lui succéda et mit son règne à profit pour embellir et agrandir Persépolis qui, pour lui comme pour son père, fut sa résidence préférée, bien que Suse demeurât officiellement la capitale de l'Empire. La manière dont Xerxès s'employa à développer

Parmi les offrandes apportées à Darius, figurent ces deux objets insolites. Certains archéologues pensent qu'il s'agit de bracelets, mais ce pourrait être aussi des symboles du pouvoir.

Ce robuste cheval fait partie de dons que les satrapes des lointaines provinces envoyaient à Persépolis.

Persépolis donne une idée de ses ambitions. Celles-ci se manifestèrent aussi sur un autre plan, le plan militaire. Non content d'avoir hérité d'immenses territoires, Darius entreprit, en 481 avant Jésus-Christ, une action qui devait être le début de la ruine de l'Empire achéménide: la guerre contre les Grecs.

En 465 avant Jésus-Christ, Xerxès mourut à la suite d'une conjuration de palais; son fils Artaxerxès lui succéda. Quelques provinces se rebellèrent, le nouveau roi ne sut pas les mater; elles se rendirent indépendantes. Toutefois, le règne d'Artaxerxès Ier fut relativement tranquille et l'Empire ne subit que des pertes limitées. Le successeur d'Artaxerxès, son fils aîné, fut tué au bout de quarante-cinq jours de règne par l'un de ses frères qui, à son tour, fut égorgé par un troisième frère, Ochos, lequel monta sur le trône sous le nom de Darius II (425 avant Jésus-Christ). Dès ce moment, l'Empire achéménide était en pleine décadence. Un siècle plus tard environ, Alexandre le Grand lui donnera le coup de grâce. Détruisant et saccageant les villes, exterminant les Perses, le grand Macédonien mit fin à la civilisation achéménide. Persépolis ne fut pas épargnée; condamnée par Taïde, maîtresse d'Alexandre, elle devint après le pillage, la proie des flammes. Seule compensation à tant de ravages: une tête de femme sculptée par un soldat grec.

Des femmes du village iranien de Takht-e-Djamchid gravissent l'escalier qui vit les fastueux cortèges des empereurs perses. Aujourd'hui, dans Persépolis morte depuis environ 2300 ans, même les vivants ressemblent à des fantômes du lointain passé.

*« Les imprenables fortifications de Machu Picchu,
que les conquérants espagnols n'ont jamais découvert »*

L'EXTRAORDINAIRE
CIVILISATION INCA

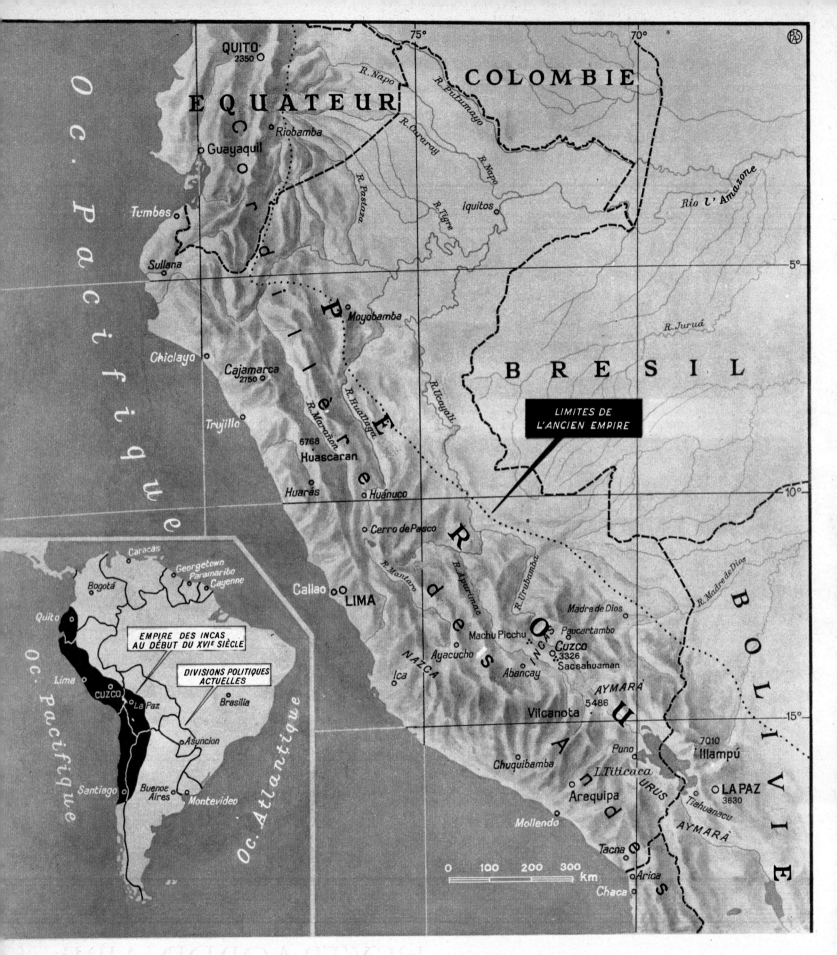

QUITO
2350

EQUATEUR

COLOMBIE

Riobamba

Guayaquil

R. Napo

R. Putumayo

R. Curaray

R. Napo

Tumbes

R. Pastaza

Iquitos

Rio l' Amazone

Sullana

5°

Moyobamba

R. Juruá

BRESIL

Chiclayo

Cajamarca
2750

R. Huallaga

R. Ucayali

LIMITES DE
L'ANCIEN EMPIRE

R. Marañon

Trujillo

6768
Huascaran

Huarás   Huánuco

10°

Cerro de Pasco

R. Mantaro

R. Apurimac

R. Urubamba

R. Madre de Dios

BOLIVIE

Callao   LIMA

Madre de Dios

Machu Picchu   Paucartambo

Ayacucho   Cuzco
3326
Sacsahuaman

NAZCA   Abancay

Ica

AYMARA
5486

Vilcanota

15°

Chuquibamba   Puno

7010
Illampú

L. Titicaca

Arequipa   URUS   Tiahuanacu   LA PAZ
3630

Mollendo   AYMARA

Tacna

0 100 200 300 km

Arica

Chaca

Caracas

Georgetown
Paramaribo
Bogotá   Cayenne

Quito

EMPIRE DES INCAS
AU DÉBUT DU XVIᵉ SIÈCLE

Lima

DIVISIONS POLITIQUES
ACTUELLES

CUZCO   La Paz   Brasilia

Santiago   Asuncion

Buenos
Aires   Montevideo

Oc. Pacifique

Oc. Atlantique

C'est dans la partie sud du Pérou que se trouvent
les centres principaux et les vestiges de la civilisation inca.
Mais l'Empire du Soleil couvrait le Pérou tout entier,
une grande partie de l'Equateur, de la Bolivie, du Chili
et du Brésil occidental.

▶ A 3 810 mètres au-dessus du niveau de la mer,
le Titicaca est le plus grand lac de l'Amérique du sud
(6 900 kilomètres carrés). Les deux tiers du lac sont sous la
dépendance du Pérou, le reste étant en territoire bolivien.
Sur les rives du Titicaca, les Incas rencontrèrent
et assujettirent le peuple des Uros.

O<small>N A</small> beaucoup écrit sur les Incas et souvent la légende a pris le pas sur l'histoire, la littérature
sur la recherche scientifique. Tout peut d'ailleurs
se justifier d'un certain point de vue, la civilisation des
Incas ayant toujours été entourée de mystère. Cherchons
donc à définir brièvement les caractères fondamentaux
de cette civilisation en évitant tout ce qui substituerait
à la précision de l'histoire la divagation fantastique.

Pizarre, le conquistador

L'Empire du Soleil était inexploré et presque inconnu, quand François Pizarre en entreprit la conquête au nom de l'Espagne. La « Mer du Sud », c'est-à-dire l'océan Pacifique, avait été découverte juste onze ans auparavant, en 1513, par le navigateur Balboa. Et l'appétit de conquête des cours européennes avait été éveillé par les récits concernant les richesses des rivages qui le bordaient. L'Espagne ne voulut pas laisser inoccupé à Panama un homme, ou plutôt un aventurier du type de Pizarre, qui avait dans le sang une ambition le débarrassant de tout scrupule et pour qui la possession de l'or était le seul but de la vie.

L'Espagne proposa donc à Pizarre de conquérir l'Empire du Soleil, mais celui-ci avait déjà son plan élaboré dans les tristes lagunes de Panama en compagnie d'autres aventuriers de son acabit, Diego de Almagro et Hernando de Luque. Ils savent tous trois que le peuple « inca » est valeureux: un de leurs amis, un certain Andagoya, lors d'une tentative d'incursion sur le territoire de l'empire, a vu périr ses hommes et, grièvement blessé, il n'a échappé que de justesse. Mais ils savent aussi que l'or, là-bas, ne fait pas défaut et sert à fabriquer toutes sortes d'objets.

Le paysage péruvien est souvent impressionnant:
des montagnes qui atteignent 7 000 mètres, des déserts, des
hauts plateaux, des fleuves tourbillonnants.
Dans ce pays les centres habités sont assez éloignés
les uns des autres et sont les plus élevés du monde.
Pour franchir les Andes,
la voie ferrée se hisse à environ 4 800 mètres.

Le terme « inca » s'appliquait à l'origine aux rois et aux princes de souche royale. Il s'étendit progressivement aux sujets. Quand Pizarre commença la conquête de l'Empire du Soleil, le petit peuple qui habitait le centre et la côte du Pérou, avec Cuzco pour capitale, s'était transformé en ce qu'on appellerait aujourd'hui une grande puissance. Le domaine des Incas englobait non seulement tout le Pérou, mais des territoires qui correspondent aujourd'hui à l'Equateur, à la Bolivie, au Chili et à une partie du Brésil. Le souverain possédait les pouvoirs civils, militaires et religieux, en tant que descendant du Soleil (le Soleil est une divinité essentielle dans la religion inca). Huayna Capac, le onzième descendant de la souche inca, avait conquis le royaume de Quito et fait de la fille du roi son épouse préférée. Généreux en temps de paix, c'était sur le champ de bataille un homme courageux. Et voilà pourtant qu'il déconseille aux sages de son entourage, aux « amautas », de se battre contre l'étranger: ce serait vain, les augures le lui ont prédit. Et il meurt. Sa momie est portée à Cuzco, à la seule exception du cœur qui reste à Quito, ville de la femme aimée. Son fils Huascar lui succède. Cette succession ouvre non seulement une crise grave au sein de l'empire des Incas, mais elle provoque une guerre fratricide dont le vainqueur est Atahualpa, frère de Huascar. En 1532, huit ans après la première expédition de Pizarre, la nouvelle de la défaite de Huascar est suivie de celle d'un second débarquement de Pizarre. Les Espagnols marchent sur Tumbez. Les hommes blancs peuvent, dit-on, « lancer la foudre » et ils possèdent de rapides animaux à quatre pattes. Ils ont, en fait, des arquebuses et des chevaux.

Atahualpa réunit le Conseil, interroge les devins et, surtout, il s'intéresse à ce que Pizarre accomplit dans Tumbez conquise. Il apprend que ce dernier a ébranlé l'organisation inca, et lui en a substitué une autre qui contraint les indigènes au travail; il envoie des parlementaires auprès de Pizarre. Mais l'Espagnol est inexorable: la reddition ou la guerre. Une période de discussions s'ouvre, au cours de laquelle Pizarre mène un subtil jeu diplomatique, tandis qu'affluent les renforts et que se poursuit l'avance. Il arrive aux murs du palais royal et son pouvoir est de plus en plus grand. Le 15 novembre 1532 il entre dans Cajamarca, la ville d'Atahualpa, centre, de nos jours encore, très important de la République péruvienne, à 2 750 mètres d'altitude. Il exige la comparution du souverain. Celui-ci, qu'épouvantent les arquebuses et les chevaux de l'envahisseur, se résout à faire déposer les armes aux hommes de son armée. Pizarre accepte les somptueux présents qu'il offre et donne l'ordre d'attaquer. C'est le massacre: les soldats incas tombent par milliers. Atahualpa est fait prisonnier. Peu de temps après, il sera étranglé, plutôt que brûlé sur le bûcher, après avoir humblement accepté le baptême. Traitement barbare que Charles Quint lui-même déplorera.

L'empereur Manco, dont voici le monument, est le fondateur de la dynastie supprimée par les Espagnols au XVIᵉ siècle. Manco, « fils du Soleil », unifia les diverses peuplades des vallées des Andes en un vaste Etat très strictement organisé.

Des arquebuses et des chevaux

Gravure représentant les tortures que les Incas infligeaient aux prisonniers espagnols pour se venger de ce qu'ils avaient eux-mêmes subi. Ils versaient de l'or en fusion dans la bouche du captif pour « rassasier » son avidité.

Reportons-nous maintenant à ce qu'était l'Empire du Soleil, tel que le découvrirent, stupéfaits, les conquérants espagnols, et tentons de fouiller dans les siècles qui précédèrent. Les Espagnols ayant détruit une grande partie des palais et des temples afin d'en extraire les matériaux nécessaires à de nouvelles constructions, il est malheureusement très difficile de reconstituer l'histoire des Incas.

Il y a quelque cent cinquante siècles, un peuple asiatique nomade, peut-être ancêtre des Tartares, après avoir traversé le Tibet et la Chine, aurait atteint le détroit de Bering. C'était un peuple qui, lorsqu'il se fixait (pendant des dizaines d'années ou des siècles, qui peut le dire?) ne trouvait pas ce qu'il lui fallait pour subsister. Chassés au surplus par des cataclysmes (les tremblements de terre, les raz de marée étaient fréquents et capables de ravager tout un pays), ces nomades franchirent le détroit, redescendirent vers le sud, marchèrent de montagne en plaine et de plaine en montagne, arrivèrent enfin

Une longue migration asiatique de la Chine au Pérou

La bataille de Cuzco (août 1533) où 182 Espagnols, grâce
à leurs armes à feu et à leurs chevaux,
battirent et massacrèrent environ 40 000 Incas.

Un Indien devant la fameuse porte du Soleil
à Tiahuanaco, la ville située au sud du lac Titicaca, détruite
et dépossédée de ses innombrables trésors.

dans un monde stupéfiant: longs rochers, eaux chaudes
jaillissant des hauteurs, silences effrayants, bois immenses, étendues de terres cultivables. Près du Titicaca, à
4 000 mètres d'altitude, les Incas rencontrèrent d'autres
communautés primitives; c'étaient les Uros qui fabri-
quaient des sarbacanes, pour la chasse, et des embarcations
à voile, un peuple qui, connaissant la famine, y remédiait
en conservant du poisson fumé. Les Uros avaient élaboré
une religion qui inspira les premiers artistes. Il reste des
sculptures en bas-reliefs sur grès et tuf, représentant essentiellement des parties du corps d'hommes ou d'animaux,
quelquefois des lamas et plus tard des têtes de bêtes féro-
ces. Cette évolution de l'art local s'est peut-être étendue
sur dix mille ans. Et un millénaire ou deux ont encore
passé avant que le Christ ne vînt sur terre.

Le dieu des antiques Péruviens était le Soleil. Il fut
appelé Viracocha, puis Kon Tiki Viracocha et encore Kon
Tiki Ilgac Viracocha: dénominations qui exprimaient la

*Visages et costumes des actuels descendants des Incas.
Leur isolement dans les vallées des Andes a empêché
d'importantes mutations ethniques de se produire chez les
Indiens. Même les vêtements, dans leur forme,
leurs couleurs, le genre du tissu et les dessins, rappellent ceux
des Incas d'il y a cinq siècles.*

Une grande civilisation

puissance grandissante de ce dieu. L'origine du mot Tiki est polynésienne et suggère la présence en Amérique du Sud de populations venues de ces lointaines îles. Une légende raconte que Kon Tiki Viracocha, qui avait su créer le monde d'une manière si parfaite, oublia de donner aux hommes une force suffisante. Les hommes dénoncèrent l'injustice divine. Pour les châtier, Viracocha transforma les coupables en pierre.

L'image de Viracocha a résisté aux millénaires. Elle apparaît sur la porte du Soleil, monument de la civilisation pré-inca, demeurée indemne lors de la destruction de la ville de Tiahuanac.

Sous l'empire des Incas, le dieu Viracocha conserva le pouvoir qu'il avait sur les peuples primitifs. Et dans leur soif de domination les empereurs se firent passer pour les fils du Soleil. A l'origine de cette croyance, ou mieux de la fortune inca, il y eut quatre frères: Manco, Colla, Tocay et Pinau, chefs de quatre grandes tribus. Ils menèrent à bien une œuvre d'unification très raisonnable puis l'un d'eux, Manco, prit assez d'influence pour être considéré comme le premier empereur. La vie de Manco se passa aussi à rechercher les régions fertiles. Le roi Manco s'arrêta dans la grande vallée de Huanacauti, et déclara à sa femme-sœur, nommée Oclyo, que son destin était de rassembler les peuples de ce pays sous son sceptre. Il entendait surtout que les habitants de ces régions devaient s'organiser en communauté organisée s'ils voulaient survivre: hors de là, aucune chance de salut. La vie en communauté exigeait des règles précises. Les fouilles ont révélé que les Incas cultivaient assez bien la terre (la *taclia* était leur bêche) et qu'ils faisaient d'abondantes récoltes de maïs, de

*Les actuels descendants des Incas, les « Indiens »,
vivent dans des conditions d'extrême pauvreté, dans les hautes
vallées des Andes péruviennes. Avec le peu de moyens
mis à leur disposition ces gens cultivent rudimentairement
5 pour 100 de la superficie du Pérou.
Un appareil photographique attire irrésistiblement l'attention
de ce petit garçon vêtu d'étoffes coloriées
selon une tradition séculaire.*

légumes, de pommes de terre, de *quinoas* (sorte de bette-rave). La médecine se développa chez eux; la sève de l'agave fut utilisée comme désinfectant pour les blessures. Bouillie avec certaines racines, elle tenait lieu de tonique. On se nourrissait aussi de gibier. Les chasseurs formaient des associations. Les différents produits étaient répartis équitablement entre tous. Dès le début de la civilisation inca, l'accent fut mis sur la justice sociale. Pour rendre le travail plus agréable ou, comme nous le dirions, pour le planifier, une espèce de calendrier fut établi; en janvier, il fallait filer la laine; en février, défricher la terre, en mars protéger les champs des oiseaux, en avril s'occuper des pâturages, en mai récolter le maïs, en juin les pommes de terre, en juillet emmagasiner les céréales, en août labourer, en septembre semer le maïs, en octobre nettoyer les maisons, en novembre planter les légumes, en décembre semer le quinoa et les pommes de terre.

L'Empire du Soleil s'est constitué grâce aux efforts de douze souverains. Après Manco vint son fils Sinchi Roca, puis Lloque Yupanqui, nom qui signifie « le gaucher aux grands mérites ». Eliminant les groupes rebelles, Lloque Yupanqui consacra sa vie à l'édification de la puissance impériale. Il fortifia les frontières, érigea des bastions aux points névralgiques, se battit, des années durant, pour annexer de nouveaux territoires. C'est lui qui commença la guerre contre le puissant peuple des Aymaras, qui ne fut soumis que beaucoup plus tard. Les conquêtes tournèrent finalement à l'avantage des Incas, non seulement dans le domaine territorial, mais aussi dans celui des coutumes: les Aymaras étaient, en fait, très avancés et leurs vainqueurs s'approprièrent rapidement ce qu'il y avait de bon chez eux.

Des artisans spécialisés dans la trépanation

Avec le temps, l'*Ayllou* (communauté territoriale) se révéla trop exigu par rapport aux exigences de la production. On étudia des réformes. Dans le cercle de la communauté même, on redistribua les fonctions. L'organisation du peuple était schématique: hommes et femmes se classaient selon leur âge, dont dépendait directement le genre de travail qui leur était confié. Les « Auna Qamayoc », c'est-à-dire les guerriers, étaient fort appréciés; alors que les incapables et les difformes, les *uncoc runa* servaient seulement de distractions. Il faut se rappeler que des millions d'individus étaient soumis à cette organisation. La puissance des Incas était en plein essor.

Avec le roi Capac Yupanqui, les Incas conquirent des régions métallifères, outre les provinces du Sud. Les Aymaras, experts en la matière, furent employés au travail des métaux. Ils firent connaître aux Incas la fusion du cuivre et de l'étain, ce qui fit progresser la civilisation. Les fours étaient à l'origine localisés autour de Potosi — sur le territoire de l'actuelle Bolivie — ensuite on en construisit partout. Les haches, les cisailles, les trépans en bronze sont des objets courants. L'or et l'argent abondent, on en fait bientôt des bracelets, des ceintures, des diadèmes, des cloches, des tasses, des décorations de tous genres.

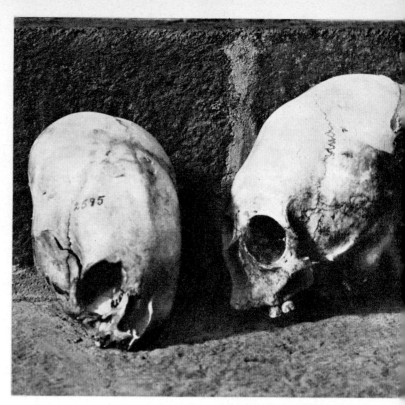

L'intégration des Nazcas, le peuple le plus en avance de l'ancien Pérou, qui habitaient sur les collines du bord de mer, fut fondamentale pour la civilisation inca. Les Nazcas avaient une connaissance de la médecine et de la chirurgie que le mot stupéfiante n'est pas trop fort pour qualifier. Depuis des siècles, ils étudiaient le corps humain, son anatomie, ses réactions multiples et ils l'assimilaient aux mystères du cosmos. Croyant qu'une divinité habitait le ciel ,ils resserraient à la naissance le crâne des enfants entre deux petits axes pour le développer bien en direction du ciel. Leur tête prenait donc la forme d'une tiare et c'est là une caractéristique dominante des Nazcas. Dans les cavernes les plus anciennes, on a retrouvé des squelettes au crâne déformé. Les Nazcas étaient experts en trépanation et refermaient l'ouverture avec une plaque d'or. Dans les nécropoles plus récentes on trouve des momies à la peau noirâtre et au visage coloré en rouge selon un indéchiffrable rite magique. Il existe aussi des momies enroulées dans six ou huit mètres de toile. Dans ce cas, le défunt est recroquevillé sur lui-même, les genoux repliés vers le haut, les joues appuyées entre les mains, comme s'il méditait, entouré d'assiettes en or, de bracelets, de coquillages, d'éventails et d'une perruque en cheveux véritables.

On punit en coupant le nez

Comme dans d'autres civilisations, le culte des morts
avait une grande importance chez les Incas.
Au cours des cérémonies funèbres on s'enivrait et l'on mangeait
en présence du défunt; afin de l'honorer on suspendait
pour plusieurs jours les opérations guerrières.
On a retrouvé de nombreuses momies enveloppées
dans des linges de coton et de laine,
seuls tissus connus des Incas.

Les Péruviens anciens, devenus sujets des Incas, élevaient des totems afin de se défendre contre la maladie ou les cataclysmes naturels; ils organisaient, au cours d'une intervention chirurgicale, des représentations symboliques pour chasser les esprits maléfiques. Ces recours à la magie ne les empêchaient pas de pratiquer la chirurgie avec une dextérité absolue. Outre les crânes trépanés que l'on a découverts dans les nécropoles nazcas, les céramiques et les statues huacas démontrent avec éloquence leur virtuosité. Grâce aux statues collectionnées par les spécialistes, on a pu savoir comment les Péruviens procédaient pour

▲ *La trépanation des crânes, en usage chez les Nazcas, était réalisée par de très habiles chirurgiens; souvent la calotte crânienne était refermée avec une plaque d'or.*

◄ *Les populations préincaïques, ou Nazcas, habitaient la région de collines, proche de la côte océane. Elles croyaient en l'existence d'un dieu vivant dans le ciel. Pour cette raison, semble-t-il, on serrait entre deux planchettes la tête des nouveau-nés, pour l'allonger vers le haut, afin que chaque créature soit plus proche du dieu.*

► *Le jour des morts, les Incas enlevaient des tombes les momies de leurs parents défunts, ils les mettaient dans des hottes de corde (voir la photo) et les portaient à la maison afin que les défunts assistent au repas.*

amputer, couper le nez et les lèvres atteints de certaines maladies, tel le lupus.

La mutilation du visage, d'un bras ou d'une jambe, pouvait aussi être un châtiment infligé en exécution d'un verdict judiciaire. L'iconographie céramique est fort révélatrice à cet égard; elle nous montre des femmes sans nez ou aux lèvres enlaidies, des hommes sans bras ou sans pieds.

En ce qui concerne l'agriculture, nous pourrions dire avec nos mots que les habitants de l'Empire du Soleil appliquaient la chimie dans ce domaine. Ils avaient acquis, d'une manière rudimentaire, certes, une certaine compétence en fait d'ingrédients destinés à l'amélioration des cultures.

Ils connaissaient assez bien l'usage des engrais: notamment du guano, excrément des oiseaux de mer, qu'ils mélangeaient à d'autres éléments de nature végétale. Produit par des milliers d'oiseaux appelés « guanay », le guano était recueilli dans les cavités rocheuses de la côte et des îles. Les agriculteurs incas n'ignoraient pas non plus l'importance de l'irrigation. Quelques tracés d'un canal construit par Viracocha témoignent encore du travail énorme qui fut accompli. Ce canal traversait entièrement le territoire Cuntisuyo, utilisant des gorges encaissées et coupant des montagnes. Il était long d'environ 500 kilomètres, profond et large de 3,50 m.

Pour défricher et labourer la terre, les paysans incas, qui ignoraient encore la charrue traditionnelle, avaient adopté une espèce de lame pointue et très solide — le yupan — munie de deux bras horizontaux sur lesquels le paysan appuyait avec le pied pour enfoncer la lame dans la terre.

Les Incas construisirent des ponts qui abrégèrent les parcours montagneux pour faciliter les relations entre communautés et le transport des produits de la terre; puis, à un stade plus avancé, celui des objets fabriqués, lianes entrelacées ou de fibres de *maguey*, ces ponts étaient solidement suspendus au-dessus des eaux ou des précipices. La légende veut que ce soit l'Inca Maita Capac qui, le premier, ait décidé de construire un pont suspendu sur le cours impétueux du fleuve Apurimac.

Naturellement, que ce soit pour les transports intérieurs ou pour la guerre, les Incas sillonnèrent leur vaste territoire de routes gigantesques. Le roi Huayna Capac ordonna la construction de deux artères particulièrement importantes: celle qui, par la montagne, relie Quito à l'actuelle Argentine et celle qui, à proximité de la côte, relie Quito au Chili. Le long de ces routes se rencontraient,

▶ *Cuzco, la splendide capitale de l'empire Inca, comptait environ 200 000 habitants au moment de la conquête espagnole. On ne sait pas si cette surface plane fut un amphithéâtre destiné aux cérémonies ou l'emplacement d'un temple du Soleil.*

Des montagnes inaccessibles

Voici comment apparaît aujourd'hui la forteresse de Saxahuaman, qui domine la ville de Cuzco. Les murs sont constitués de gigantesques blocs de pierre carrés, non cimentés et pesant plusieurs dizaines de tonnes chacun.

ancêtres de nos « stations service », des stations d'échanges où les voyageurs se restauraient et vendaient leurs marchandises. Ces stations s'échelonnaient toutes les quatre lieues. Elles possédaient aussi des magasins d'armes, les routes étant surtout conçues pour servir aux armées en marche. En outre, de jeunes messagers, entraînés à cet effet, séjournaient dans chaque centre; ils savaient courir rapidement et se relayaient à des endroits déterminés. Un courrier mettait cinq jours de Quito à Cuzco. Pour franchir les cours d'eau dépourvus de ponts, les messagers, et souvent même les guerriers et les paysans utilisaient des embarcations spéciales, faites en peau gonflée d'air, de forme allongée, avec une grosse poupe. D'autres embarcations faites avec des roseaux ressemblaient probablement à celles que l'on voit aujourd'hui sur l'Amazone. Ce second type de barque se rencontrait surtout sur le lac Titicaca.

Dans les régions du nord, où les pluies torrentielles sont fréquentes et où les vents soufflent avec violence, il fallait disposer d'embarcations plus robustes; les anciens Péruviens utilisaient de grands radeaux faits avec des troncs d'arbres, munis de rames et d'un gouvernail.

L'actuelle rue Loreto à Cuzco,
avec ses imposantes murailles incaïques.

Enfants indiens devant le mur de la forteresse inca de Saxahuaman.

Cuzco, la capitale

La somptuosité des palais impériaux a toujours fasciné les Incas. La puissance expressive de cette architecture exceptionnelle — que l'on retrouve également dans les fortifications — est avant tout déterminée par le dessin simple de l'édifice et l'extraordinaire capacité manuelle des Incas qui réduisaient les pierres à la forme géométrique solide parfaite, qu'est le cube, et les superposaient les unes aux autres en ligne droite, et bien adaptées à la forme du mur comme s'il se fût agit d'une matière plastique. La sévère solidité, l'austère puissance de l'édifice n'étaient pas dénuées d'une certaine élégance due surtout à l'harmonie des lignes. Les ouvertures parfaites, étaient en forme de trapèze. Avec le temps, les architectes acquirent des connaissances nouvelles et une pratique du matériau qui allait jusqu'à la virtuosité.

Chaque nouvelle conquête de l'empereur était fêtée par la construction d'un palais. Walter Lehmann écrit, à propos des ruines grandioses de l'Inticauche ou Temple du Soleil, que l'on peut aujourd'hui encore contempler dans le quartier de l'Or, le Coricancha: « C'était la plus célèbre construction de la capitale inca et même de tout l'Empire. Les vestiges de l'ancien mur entourent aujourd'hui l'église

◄ *Cultures en terrasses sur les pentes des hautes vallées des Andes. Ces paliers (andenes en espagnol) construits par les Incas, sont soutenus par des murs de cinq à six mètres de hauteur. Grâce à ce système, il était possible d'utiliser le peu d'eau qui s'écoulait des névés de la montagne.*

La grande extension de l'Empire permit la diffusion sur toute l'épine dorsale des Andes de la civilisation des Incas. Le long du fleuve Ucayali, tributaire de l'Amazone, près de Pucalpa, en territoire brésilien, cet Indien chiquito tient dans ses mains un vase qui montre clairement l'influence de l'artisanat inca.

A environ cent kilomètres de Cuzco, dominant
magnifiquement le débouché de la vallée qui mène à la capitale,
surgit la ville fortifiée de Machu Picchu,
ensemble complexe de fortifications, de maisons et de tombes.
Les Espagnols n'atteignirent jamais
cette ville, inconnue d'eux.

et le couvent de Santo Domingo. Le mur est lisse et semble poli; quant aux jointures des pierres, elles sont si peu visibles que le mur incurvé ressemble à une porcelaine peinte. Chaque pierre est travaillée exactement selon la courbe du mur. » Nous savons aussi que les quatre parois étaient garnies extérieurement de corniches dorées et, qu'à l'intérieur, les faisceaux d'or ne manquaient pas. Un grand panneau en or au milieu duquel se détachaient le soleil et ses rayons sculptés, était inséré dans la paroi centrale. A côté de l'image du soleil reposaient les corps embaumés des rois, avec leurs insignes et leurs habits royaux.

Le temple voisin de la Mère Lune (Mamaquilla) était lui aussi magnifique, tout décoré d'argent. On y conservait les momies des souveraines. Certains autels étaient dédiés aux étoiles (à Vénus - Chasca), et à l'arc-en-ciel. L'image du soleil figurait sur le portail oriental et les rayons du soleil levant s'y reflétant, illuminaient tout le temple.

Dominée par un sommet aride et nu, Machu Picchu se présente comme un fortin imprenable. C'est aujourd'hui une ville morte, mais au temps des empereurs incas elle devait jouer un rôle important dans le système défensif de l'Empire.

Les Incas et leurs prédécesseurs furent des céramistes de génie. Sur la photo, un vase de style tiahuanaco le plus récent.

Deux vases de style mochica dits aussi « vases siffleurs », car l'air en entrant dans un trou, pendant que le liquide sortait par le bec, produisait un sifflement.

Les remparts de Saxahuaman

Un autre édifice remarquable est la forteresse de Saxahuaman, construite peut-être en plusieurs fois, à des époques diverses, ainsi que le suggère la variété des styles. Trois enceintes énormes l'entourent. La première est composée de grosses masses polygonales, aux angles rentrés, exactement pointés, formant vingt-trois bastions. Le bloc principal a un poids d'environ cent tonnes. La ligne du mur est sinueuse. La forteresse se trouvant sur une colline, la seconde enceinte est située 10 mètres au-dessus de la première; elle est faite de blocs plus petits. La troisième enfin, la dernière construite, est du style rectangulaire dont nous avons déjà parlé, avec trois grosses tours qui communiquent entre elles.

Le Rodadero est une autre construction extraordinaire. C'est un simple système de murs de 25 mètres de haut, qui semble suivre le dessin général de la crête et dont le périmètre atteint 800 mètres.

Ces puissants édifices entouraient le trône de l'Inca, situé sur la colline de façon à dominer Cuzco. D'énormes gradins taillés à vif dans la roche, menaient jusqu'à ce siège où, dit-on, l'Inca s'asseyait au cours de la cérémonie d'investiture. Des édifices du même genre se rencontrent assez fréquemment dans la cordillère des Andes, surtout à proximité du Pérou.

C'est également dans la région de Cuzco que se trouvent les ruines de ce qui fut le palais de l'Inca Manco Capac. Ce palais passe pour avoir été le chef-d'œuvre du style inca. Ses ruines gisent à l'intérieur d'une enceinte

Vase de style chimu représentant un guerrier.

108

colossale, dite le Colcampata, composée de blocs polygonaux et de sept grandes niches en forme de trapèze. Il existe à Cuzco un autre mur polygonal, celui de Cora Cora, ultime reste du palais de l'Inca Roca. Derrière ce mur s'étendent les ruines de ce qui devait être le Yachauasi, c'est-à-dire le collège des nobles.

Découvrant ces ruines, le voyageur se trouve face à un paysage insolite. Tout est gigantesque et miraculeux; tout semble correspondre, sinon à un monde inhumain, du moins à une humanité prodigieuse, en même temps que mystérieuse et impénétrable. La couleur et la matière de ces pierres que l'on croit être de la lave rendent le paysage encore plus fascinant.

Un vase de style nazca;
la couleur fait oublier la pureté de la forme.

Céramique mochica.   *Un vase de style* tiahuanaco.

109

Cuzco était une ville puissante et splendide. Elle était le cœur de l'Empire du Soleil, le lieu d'un trafic intense, un centre artisanal et artistique. Les nombreux fonctionnaires de l'administration royale constituaient une caste où s'incarnait le pouvoir de l'Etat. Il fallait donc défendre cette ville à tout prix. Aucun peuple d'Amérique du Sud n'aurait pu d'ailleurs l'arracher aux Incas; seul Pizarre en fut capable avec ses arquebuses et son astuce.

Déjà à 60 kilomètres au nord, dans la vallée de l'Urubamba, Cuzco était protégée par un autre système de fortifications: la construction mégalithique d'Ollantaytambo. De nombreux terre-pleins formaient la base de cette forteresse. Ils étaient soutenus par des murailles au sommet desquelles avait été aménagée une grande terrasse. Sur cette terrasse s'élevait un mur énorme, creusé de dix niches. Sur une plate-forme supérieure, il y avait cinq blocs de pierre rectangulaires de 3,50 mètres de hauteur, unis par un listel.

Les Incas attachaient à la vallée de l'Urubamba une importance stratégique particulière; c'était en effet la route d'accès la plus directe au cœur de l'Empire. Aussi ne se contentèrent-ils pas d'Ollantaytambo. Ils édifièrent d'autres forteresses dans la même région: celles de Pisac et de Paucartambo à l'est, celle de Choqquequirau au nord-ouest. Des détachements de soldats s'y relayaient jour et nuit.

L'architecture inca, massive, étonna les envahisseurs espagnols et fascina les visiteurs. En plus de ceux dont nous avons déjà parlé, plusieurs autres édifices attirèrent l'attention: le temple de Viracocha, à Chaca, le temple de Chavin à Huanta, la forteresse de Huanuco Viejo. Mais la découverte la plus sensationnelle est celle de la ville de Machu Picchu, faite en 1913 par une mission que dirigeait le professeur Hirian Bingham, de l'université de Yale. Cette ville est située à 110 kilomètres de Cuzco, dans la vallée sauvage de Huilcabamba, à 600 mètres au-dessus

L'imprenable Machu Picchu

Du sommet de cette haute tour de Machu Picchu,
à 2 500 mètres au-dessus du niveau de la mer et au début
de la vallée parcourue par le fleuve Urubamba,
on aperçoit déjà le seuil du bassin de l'Amazone.

de l'impétueux Urubamba. Le fleuve décrit à cet endroit une large courbe et descend ensuite une pente si rapide, qu'il prend l'aspect d'un torrent, presque d'une cascade. Un sentier abrupt prend naissance sur le plateau proche de la rive et grimpe au sommet du col. Tout à coup apparaît un grand portail massif. Au-delà, un escalier creusé dans la roche mène à un terre-plein. Ici commence la ville de Machu Picchu. Il est très probable que deux civilisations s'y soient mêlées: l'inca et la préincaïque. La présence de constructions à grands blocs polygonaux disposés en zig-zags témoignerait de cette dernière influence.

Sur le terre-plein s'étend un enchevêtrement d'habitations en pierres quadrangulaires, qui vraisemblablement, constituaient le quartier populaire. Le plan urbain est ici très resserré. A travers les *masmas* (galeries assez étroites), on parvient aux abords d'une sorte de donjon central de 800 mètres de circonférence. On y monte par de

Un tapis de l'époque de transition inca-espagnole. Avec de rudimentaires métiers à tisser, les Incas réussissaient à confectionner des tapis d'un effet surprenant; les motifs ornementaux que montre cette photo, sont souvent répétés et alternés, sur le modèle de motifs anthropomorphes ou animaliers, que l'on trouve surtout dans les céramiques.

larges escaliers où subsistent de très anciens vestiges de maisons plus belles que celles de l'entrée de la ville. Selon le professeur Bingham, il s'agirait là des demeures des nobles. Plus loin, se dresse le mur des « Trois Fenêtres »; et tout en haut, l'Intihuatano, le temple du Soleil, domine superbement la ville morte. D'attentives recherches ont permis de mettre au jour des peintures géométriques semblables à celles trouvées à Cuzco, des céramiques, des restes humains et des sections de conduites d'eau.

Au cours de cette brève évocation de la civilisation inca, il a été question plusieurs fois de céramiques. L'art de la céramique est répandu sous toutes les latitudes. Il a des origines fort anciennes. On pourrait dire qu'il naquit dès que l'homme sut faire bon usage du feu. Les peuplades préincaïques ne pouvaient donc l'ignorer. La venue des Incas et l'unification des territoires qui constituèrent l'Empire du Soleil ne firent qu'accroître la tâche des céramistes dont les procédés et les styles varièrent considérablement selon les époques.

Limitons-nous aux œuvres les plus connues qui ont été exhumées dans les villes, les temples et les forteresses: à l'origine, le style incaïque était réaliste et il ne subit

Céramiques et colliers

Du peuple aymara, *qui possédait des armes en bronze, les Incas apprirent beaucoup dans le domaine de la métallurgie; on sait qu'avant de conquérir leurs terres, ils ne connaissaient que l'or et le cuivre. La photo montre une effigie en or du dieu Soleil.*

que peu de variations au cours de la première période. Par contre, il déclina lors de la période « *chimu* ». Les vases doubles, assez rares au départ, devinrent plus communs et furent peints d'une couleur brun noirâtre; une espèce d'anse, ou mieux de tube, unit les deux vases.

La période « *nazca* » est caractérisée par des peintures géométriques qui stylisent assez élégamment des motifs floraux ou animaliers.

Deux styles en particulier s'opposent par leur beauté et leur originalité: celui de Cuzco et celui de Tiahuanaco. Ce dernier tend vers une abstraction sévère et mystique, celui de Cuzco est de nature plus réaliste, mais déformé dans un sens expressif. Un vase dans le style de Cuzco ne reproduit pas seulement des motifs de fleurs et de bêtes, mais prend peu à peu lui-même la forme d'une fleur ou d'un animal.

L'orfèvrerie est une des plus belles expressions de l'art des Incas. L'abondance de l'or et de l'argent, ainsi que celle du plomb, du cuivre et de l'étain, lui furent favorables. Les Incas étaient, grâce aux Aymaras, nous l'avons

La jolie princesse destinée au sacrifice.

Habillée pour le rite sanguinaire, la jeune femme
de noble origine est saisie par des guerriers affectés au service
du temple. Le Grand Prêtre immolera la victime
humaine pour satisfaire les dieux. Ces rites précédaient
ou accompagnaient les expéditions militaires à la suite
desquelles les frontières de l'Empire du Soleil
devaient s'étendre sur les deux versants des Andes.

vu, particulièrement habiles à combiner et à fondre les métaux. Leurs fours, les *huaras*, étaient assez petits et en forme de fleur, installés en plein air sur les collines. Le vent alimentait le feu et par conséquent activait la fusion. Les Incas connaissaient aussi le mercure, mais ce métal étant considéré comme nocif, l'usage en était interdit. Ils coulaient ensemble l'or et l'argent pour en faire des vases qu'ils ciselaient. Ils savaient aussi pratiquer le « repoussage », suivant une méthode tombée aujourd'hui en désuétude. Les spécimens d'armes faites d'un alliage d'or et d'argent, ou d'un seul de ces deux métaux, sont nombreux. Des artistes anonymes confectionnèrent des objets ornementaux qui surprennent par leur élégance raffinée. Dans le temple de Coricancha et dans le palais des souverains, les conquérants trouvèrent des fleurs et des oiseaux en or et en argent massif, travaillés superbement.

Ce qui frappa le plus les Espagnols, selon l'historien Garcilaso, fils de l'un des *conquistadores* du Pérou, ce fut un épis de maïs en or avec des feuilles d'argent. Même la barbe était en or, faite d'une myriade de fils vaporeux. En ce qui concerne les pierres précieuses, les connaissances des Incas étaient assez limitées. Ils employaient le rubis et l'émeraude, dans un but décoratif seulement.

Les danses des Indiens rappellent les fêtes incas. Alcool, chique et coca aident les musiciens et les danseurs à supporter leur fatigue. Ces danses se prolongent souvent jour et nuit pendant toute la durée de la fête.

En dehors de la peinture, appliquée surtout aux tissus et aux métaux, de l'architecture, de l'orfèvrerie et de la céramique qui sont les formes de l'art les plus caractéristiques du passé du Pérou, il faut mentionner l'expérience musicale de cette civilisation si particulière.

« Les peuples incas, écrivait Garcilaso, produisent certains accords au moyen d'un instrument à la ressemblance d'un orgue, fait de tubes de roseaux réunis. Chaque tube a un son différent correspondant aux quatre voix naturelles (soprano, contralto, ténor et basse). Ils ont des flûtes à quatre ou cinq tons comme celles des bergers, mais ils n'accordent pas ces sons, car ils ignorent l'harmonie. Leur répertoire est composé de chansons qui traduisent la passion amoureuse. Chaque chanson, ajoute Garcilaso, a une tonalité fixe et l'on ne peut chanter deux airs différents dans le même ton. Ainsi l'amant jouant la nuit de son instrument, dit à la femme aimée et à tout le monde la joie et la douleur de son âme; s'il avait joué deux morceaux différents sur le même ton, on n'aurait pu savoir lequel de ces chants était dédié à sa maîtresse. On peut dire que, plutôt qu'ils ne chantent, ils parlent avec la flûte. »

La sœur de la musique est la danse; c'est une très vieille expression du folklore. Chez les Incas, la danse était aussi bien pratiquée dans les fêtes publiques civiles ou religieuses, que dans les réunions familiales. Les danseurs se paraient de masques variant selon le thème de la

Des orgues en miniature

De ces coquillages, les Indiens font des instruments de musique qui renforcent leurs orchestres pour l'accompagnement des danses. De petits coquillages, incrustés par les céramistes incas dans des « vases siffleurs », favorisaient le sifflement au moment où l'on versait le liquide.

*La zampoña (mot espagnol), la flûte à plusieurs tubes,
est un dérivé du principal instrument des ancêtres dont les
musiciens portent la caractéristique* cuffia.

*Un joeuer de flûte sur les pierres
de la forteresse de Saxahuaman.*

danse. Lors de la fête du Soleil la danse *huaïllia* s'impo-
sait. Le *taquihuari* accompagnait les investitures des jeunes nobles. La *guayaya* était réservée aux fêtes des classes
nobles. Ces danses étaient généralement accompagnées de
chœurs et les assistants, hommes et femmes, étaient mas-
qués.

Les Incas ne manquaient pas du sens de ce que nous
appelons aujourd'hui la « culture » puisque le gouvernement avait sa propre politique dans ce domaine. Il avait
créé des écoles, appelées *yacha huasi* ou « maisons de la
culture ». En quatre ans, les étudiants apprenaient la
langue, l'histoire, la géographie des territoires connus, en-
seignées par des *amautas* (les lettrés).

118

Les *amautas* et les *haravecs* (les poètes) résidaient tour à tour dans la *yacha huasi* fondée par l'Inca Rota et réservée aux nobles. Les *haravecs* composaient les chansons de geste et les hymnes sacrés qui étaient chantés lors des cérémonies. Notons que la langue *quetchua* ou *Runa-Simi* enseignée par les *amautas,* fut la plus répandue de celles qu'on parlait en Amérique du Sud. On l'employait depuis Pasto, sur le premier degré de latitude au nord de l'équateur, jusqu'au rio Maulli, au Chili, sur le 35e degré de latitude sud. Légèrement modifiée, elle est encore employée par les Indiens d'aujourd'hui et certains mots se sont même introduits dans le vocabulaire européen. *Tomata* est la tomate; *kundor* le condor; *huano* le guano; *vicuna* la vigogne; *alpaku* l'alpaga, etc.

Un peuple sans écriture

Les Incas étaient conscients de l'importance de la langue comme instrument de l'unification des peuples, et ils imposaient la leur aux pays conquis. Cependant il n'existait chez eux aucun système d'écriture proprement dite. Parfois, ils avaient recours à la pictographie: des hiéroglyphes ont été retrouvés dans les *huecos* et sur certaines pierres. Jusqu'à présent, les tentatives faites pour les déchiffrer sont restées vaines.

Les fonctionnaires de l'Empire, pour noter leurs calculs ou leurs statistiques, se servaient de fils de laine de différentes couleurs (chacune ayant une signification propre), qu'ils pendaient à un fil tendu horizontalement. Ce système de filographie, dit système des *quipus*, était enseigné aux nobles. Certains auteurs, dont Garcilaso, soutiennent que les *quipus* étaient plus qu'un simple moyen de calcul; ils auraient servi à « relater » des nouvelles ou des événements.

En 1583, les Espagnols ordonnèrent que tous les *quipus* fussent brûlés, afin de détruire toute possibilité de transmettre aux futures générations incas l'histoire de leur pays. Si Pizarre avait regardé l'Empire du Soleil, non pas avec des yeux de *conquistador*, mais avec ceux d'un ami qui désire connaître, il eût été fasciné. Ni lui ni ses compagnons n'eussent alors autorisé de pareilles destructions qui privèrent les siècles futurs de la connaissance de ce monde intelligent et merveilleux.

Les adorateurs du soleil

Les Incas ont laissé, par bonheur, des descendants qui peuvent encore témoigner de cette civilisation disparue. Ce sont les mystérieux et souvent impénétrables Indiens. Dépositaires de traditions séculaires, transmises de père en fils, ils nous révèlent, partiellement, ce qu'ont pu être les charmes du Pérou incaïque. Leur race est demeurée presque pure, leurs vêtements ont peu changé; leurs rites, leurs croyances, leurs chants, leur musique, leurs représentations théâtrales, tout cet héritage nous aide à comprendre le passé. Si l'on en croit certains voyageurs, il est encore de ces Indiens qui se plaisent à s'asseoir sur le trône de l'Inca, face au soleil couchant et à adorer l'astre divin, ou bien ils adressent à la lune des chansons tourmentées, demandant à la générosité de l'astre de répandre l'amour ou d'éloigner un maléfice. Où que ce soit, dans le monde entier, les danses rituelles des Indiens impression-

Le joueur de flûte, chef de l'orchestre qui accompagne les danseurs.

nent les spectateurs. Si inévitablement une grande partie du passé a disparu, ce qui reste suffit à nous persuader de la force des mystères, des légendes, de la magie de ce peuple.

La légende enveloppe encore la civilisation incaïque, et cela s'explique par le fait que l'on manque souvent de notions précises, de documents irréfutables. Les explorations et les fouilles restent incomplètes; des régions entières, surtout à l'intérieur, n'ont pas encore révélé leurs trésors. Mais la légende déforme trop souvent l'image réelle d'un peuple, le visage d'une civilisation. Mieux vaut méditer sur les faits certains qui ressortent des études sur les Incas. Ceux-ci ont d'ailleurs une telle force de suggestion que tout ce que la fantaisie des hommes a pu élaborer paraît dérisoire à côté.

*Les indications fournies par les manuscrits,
la sculpture et les trouvailles archéologiques ont permis
de reconstituer le costume de ce prince aztèque
jusque dans les plus petits détails.*

AU MEXIQUE
TEMPLES ET PYRAMIDES
RACONTENT
3000 ANS DE CIVILISATION

Les tribus archaïques, les Olmèques, Nahuas, Toltèques.
Zapotèques, Aztèques sont les principales tribus indiennes qui
contribuèrent à la civilisation centre-nord du Mexique.
Les habitants de l'intérieur passaient pour être d'un niveau
nettement supérieur aux habitants des régions côtières.

*Voici comment Lienzo de Tlaxcala a représenté
la première rencontre entre le conquistador Hernan Cortès
et le roi aztèque Montezuma. Cortès est accompagné
de doña Marina, sa maîtresse indienne qui l'aida beaucoup
à comprendre le pays inconnu où il combattait.*

HERNAN CORTÈS était sûr que Dieu avait décidé de faire de lui l'artisan d'une grande mission et quand, accompagné de trois cents hommes et de seize chevaux, il eut marché pendant des centaines de kilomètres à la recherche du prestigieux royaume des Aztèques et qu'il put enfin en admirer la capitale du haut d'une montagne, sa conviction se trouva renforcée. Il n'était pas comme Pizarre et autres *conquistadores*, un personnage qui agissait seulement par instinct de brigandage et par cupidité; il mettait son esprit d'aventure au service d'un idéal des plus nets, la cause du roi d'Espagne et la lutte contre les Infidèles. Il se sentait chargé d'une mission religieuse, il croyait en son destin: son programme était « Suivons la croix, et notre foi nous donnera la victoire sous son emblème. »

Pénétré d'ardeur patriotique et religieuse, confiant en lui-même, Cortès regardait, étalée à ses pieds, la splendide ville de Tenochtitlan. Ses palais et ses temples se reflétaient comme de l'argent sur les eaux de l'immense lac qui l'entourait: une capitale surgie des eaux, grande comme une cité européenne, une Venise au cœur du Nouveau Monde.

Ceci se passait en novembre 1519. La présence de barbus étrangers avait été signalée au souverain aztèque Montezuma, mais ce dernier avait préféré ne pas interrompre leur marche. Ils pouvaient être les hommes annoncés par la prophétie, selon laquelle le roi Quetzalcoatl reviendrait avec sa suite dans le pays qu'il avait abandonné cinq siècles auparavant. Mieux valait donc les ménager tout en les intimidant. Montezuma envoya à leur rencontre des messagers porteurs de cadeaux précieux et d'étendards menaçants. Les Aztèques avaient l'habitude de sacrifier les prisonniers de guerre et de leur faire parcourir leurs derniers pas en portant un drapeau, symbole du sacrifice humain. Un drapeau signifiait donc une menace, mais les Espagnols ne pouvaient comprendre ce message et ils firent en riant flotter au vent les draperies d'or garnies de plumes, cadeau de Montezuma. Tout en se gardant bien d'interrompre leur avance vers la ville.

D'horribles sacrifices humains

La première rencontre entre Cortès et Montezuma fut très pacifique, solennelle et cordiale, comme il convient entre personnalités de même rang. Il s'agissait, dans ce cas, des représentants de deux mondes différents qui, pour la première fois, cherchaient à s'accorder. Intimidé, Montezuma l'était, toujours soucieux de la prophétie et compte tenu de l'originalité de la rencontre, tandis que Cortès constatait qu'il n'avait pas affaire à des sauvages et observait une attitude de respect. Les Espagnols étaient en admiration devant la grande Tenochtitlan, la disposition de ses rues et de ses édifices, l'ordre et la propreté qui y régnaient, et l'importance de son commerce. Cette trève ne dura pas plus d'un jour. Déjà les Espagnols commençaient à se demander s'ils seraient traités en invités ou en prisonniers, lorsqu'ils furent admis dans le grand temple, le *teocalli*. Il leur fut alors donné d'assister à un spectacle qui transforma en horreur leur admiration pour les Aztèques. Des officiants aux cheveux souillés de sang, accomplissaient un sacrifice justement en leur honneur. Au milieu de la fumée d'encens, la main d'un prêtre montrait à tous un cœur humain à peine arraché du corps d'un prisonnier. La réaction des Espagnols fut immédiate: « Tout ceci est l'œuvre du démon, détruisons ce temple maudit et construisons à sa place un temple dédié à la Vierge. »

En un seul coup de filet, Montezuma et ses fidèles furent faits prisonniers dans le temple. La ville elle-même fut prise d'assaut. Cet événement eut naturellement une suite qu'il suffira de mentionner. Cortès laissa la ville aux mains d'une garnison et les Aztèques se révoltèrent. Le même Montezuma organisa la résistance, mais mourut en juin 1521, prisonnier des Espagnols. Deux autres rois lui succédèrent, et pourtant en 1524, le territoire aztèque, c'est-à-dire le vaste plateau de Mexico, tomba sous la domination espagnole. La belle ville fut complètement détruite. Au même endroit fut construite par les *conquistadores* une autre grande ville, qui est de nos jours une moderne capitale à la mode américaine, la ville de Mexico.

Qui étaient les Aztèques?

Les Aztèques avaient fondé un grand empire qui occupait la partie est de l'actuel territoire mexicain. Cependant leur règne fut court. Des trois millénaires qui constituent l'histoire mexicaine jusqu'à l'arrivée des Espagnols, la période aztèque ne représente qu'une très faible partie, seulement cent cinquante années (de 1370 à 1521); leur domination sur les peuples de la haute vallée de Mexico fut encore plus brève, puisqu'elle débuta en 1450. Aux yeux de la postérité leur chance fut d'avoir été en contact avec les Européens qui, tout d'abord, généralisèrent en appelant « Aztèques » tous les indigènes du Mexique septentrional et leur attribuèrent l'antique civilisation mexicaine. En réalité — on le vit par la suite — ils s'étaient « installés sur les épaules de peuples plus anciens » — et bien plus importants — comme les Toltèques et d'autres encore. L'archéologie moderne a d'ailleurs découvert des vestiges très intéressants de ces peuples anciens, mais aucune trace anthropologique. Olmèques, Nahuas, Toltèques, Zapotèques, Aztèques, tous ces noms de peuples et de tribus, doivent être présents à l'esprit si l'on veut reconstruire l'ancien Mexique, un pays, une civilisation que la conquête espagnole arrêta dans son développement, qui fut ensuite en partie détruite et recouverte d'un vernis « chrétien » et « européen », mais qui, aujourd'hui, revit non seulement dans les découvertes des archéologues, mais dans l'âme d'un peuple qui y puise une tradition et en fait un symbole de nationalité.

L'esprit et les traditions des peuples qui habitaient le Mexique à l'arrivée des Espagnols, revivent aujourd'hui dans les danses que l'on a remises en honneur et reconstituées avec une très grande fidélité au passé.

▼ *Rite en l'honneur de la naissance du Soleil*
(Codex Borgia). Quand la lune est haute dans le ciel, le démon
Tlauixcalpante Cuhtli sacrifie des cailles
au dieu Soleil et le sang de l'oiseau décapité va nourrir le dieu.
Sur la droite, en haut, sont représentées les saisons
de la pluie et de la sécheresse étroitement
soumises au cycle du dieu Soleil.

▲ *Les Mixtèques (le « peuple des nuages ») habitaient*
les hauteurs, près d'Aoxaca, et croyaient que leurs ancêtres,
un homme et une femme, étaient nés d'un arbre
(dessin du Codex Vindobonensis).
L'arbre était figuré par une déesse dont la tête était enfoncée
dans la terre à la place des racines, tandis que du tronc
fendu naissait le premier couple.

▲ *Codex Zouche Nuttal: « Un jour de l'an 1045*
le chef guerrier Griffe d'ocelot fut décoré du bijou au nez
par le grand prêtre, le Vautour aux bijoux. »

▼ *Quatre cérémonies pour favoriser les semailles*
et la récolte du maïs, aliment principal des Aztèques
(Codex Fejervary Mayer).

▲ *A droite du dessin (Codex Cospiano) un temple*
est représenté posé sur un cœur humain. « L'oiseau pensant »,
Tlacolot, est assis dessus; il a l'aspect d'une chouette
dont émane un nuage noir qui voile le soleil. A gauche, les yeux
bandés, la divinité des ténèbres, au pouvoir démoniaque.

Ainsi apparut aux hommes de Cortès, selon le dessin de Ignacio Marquina (1519) la splendide capitale aztèque, Tenochtitlan. A gauche, le grand temple sur la pyramide; à droite le monument où étaient conservés des ennemis. Au fond, de chaque côté, les temples de Axapactl et de Montezuma; au centre la pierre du sacrifice.

Cousins des Peaux Rouges

Les peuplades du Mexique ancien avaient une origine commune. Elles venaient toutes du Nord et avaient comme leurs cousins les Peaux Rouges, traversé le détroit de Bering. C'étaient donc des Asiatiques. « L'installation des Européens sur le territoire américain ne représente qu'une phase tardive de l'histoire de l'homme sur ce continent. La colonisation asiatique du Nouveau Monde, devançant de plusieurs siècles l'infiltration européenne, occupe dans les annales de l'Amérique une place d'honneur », a écrit G. C. Vaillant, dans son livre sur « La Civilisation aztèque ».

Les Aztèques, entre le XIIIe et le XVIe siècle, émigrèrent du Nord au Sud en suivant des itinéraires naturels, à la recherche de bonnes terres, moins arides que les plateaux du Nord du Mexique. Les mêmes voies furent suivies, en sens inverse, par les Espagnols quand ils colonisèrent la Californie et, de nos jours, les grandes routes panaméricaines empruntent les mêmes parcours.

Les découvertes archéologiques des trente dernières années confirment l'opinion selon laquelle les plus anciennes civilisations de l'Amérique Centrale ont une racine commune. Les deux peuplades qui se trouvent à l'origine des formes les plus élevées d'organisation civile sont les Olmèques et les tribus archaïques. La civilisation archaïque débute au second ou troisième millénaire avant Jésus-Christ. Les traces de la civilisation olmèque étaient déjà quasi effacées à l'époque aztèque; mais les graines semées par ce peuple avaient déjà porté leurs fruits pour de nombreuses générations d'Indiens. Les tribus archaïques avaient

eux aussi, les caractéristiques d'une civilisation évoluée. Ils étaient sédentaires, agriculteurs et disposaient de beaucoup de moyens techniques. De préférence céramistes et tisseurs, ils donnèrent l'impulsion à un développement qui, en moins de mille cinq cents ans, devait conduire, par une rapide ascension, aux civilisations théocratiques et enfin à la civilisation toltèque et aztèque. Cent ans environ avant Jésus-Christ se terminait la période « archaïque »; au cours des derniers siècles, les Olmèques prédominèrent. Ils s'unirent aux Nahuas et se fixèrent dans le Tamoanchan, aujourd'hui l'État de Morelos, où ils se consacrèrent à l'agriculture, à l'architecture, au travail du métal. Selon une tradition peu certaine, un groupe de Nahuas aurait fondé, à ce moment-là, un premier centre d'habitations sur les rives du lac de Texcoco: la future Tenochtitlan des Aztèques qui, du reste, descendent des Nahuas.

Olmèques et Toltèques

Une période confuse de migrations et d'invasions diverses venant du Nord succéda à cette civilisation archaïque, et c'est seulement vers le IVe siècle qu'un certain équilibre apparut avec la domination du peuple toltèque. L'empire des Toltèques dura quelques siècles, c'est-à-dire jusqu'en 1200; son lieu d'implantation était le plateau situé au nord de l'actuelle ville de Mexico, et sa capitale Tula dont les ruines furent mises au jour récemment. L'histoire des Toltèques peut se diviser en deux phases principales: la première, durant laquelle fut fondée la capitale, se termine avec l'invasion des Chichimèques, peuple venu du Nord. Les Chichimèques furent vainqueurs des Toltèques, mais se laissèrent pénétrer par leur civilisation, tant et si bien qu'ils finirent par s'appeler Toltèques eux-mêmes. Pour les Aztèques, aux siècles qui suivirent, le mot toltèque servait à distinguer les peuplades civilisées du haut plateau, des barbares des régions côtières. L'union de ces deux peuples — les Toltèques d'origine et les Chichimèques — préluda à une période de civilisation magnifique. Tula devint une cité importante, riche de temples et de monuments, dans laquelle vivait une population travailleuse. Mais cet empire finit par disparaître, suivi d'une période d'interrègne au cours de laquelle une certaine paix semble avoir régné entre les peuples des plateaux: Olmèques, Mixtèques, Zapotèques, Toltèques, etc. Cette paix était fondée sur l'équilibre des forces et non sur la prédominance d'un peuple sur les autres. Puis les Aztèques, descendants des anciens Nahuas, et qui n'avaient jamais beaucoup compté sur les plateaux, établirent leur suprématie vers le milieu du XVe siècle.

Cette gigantesque statue, qui fait partie des ruines de Tula, représente une divinité semblable au géant Atlas, tel que l'imagina la mythologie grecque.

Teotihuacan: la pyramide de la Lune (Metzil Itzacual).
Plus qu'une véritable pyramide, c'est le support puissant
d'un temple, aujourd'hui disparu, auquel on accédait par un
petit escalier, du côté est.

Aztèques et conquistadores

La civilisation aztèque était donc relativement récente au temps de la conquête espagnole. Et c'est elle qui nous est le mieux connue, car son épanouissement fut stoppé en plein essor. On dit que la civilisation aztèque fut l'une des rares qui disparut de mort violente, comme un tournesol cueilli par un promeneur. Les «. promeneurs de passage » étaient les *conquistadores* espagnols, désireux de convertir les Infidèles, mais non dédaigneux de leurs propres gains. Une fois terminée la période de destruction qui accompagne chaque conquête, on donna libre cours à la curiosité. Le trésor des Aztèques se révéla moins important que celui des Incas et — ce fut le comble — il ne rejoignit jamais l'Espagne car il fut intercepté par des corsaires français.

Prêtres et officiers — les meilleurs d'entre eux du moins — mirent à l'abri ce qui pouvait être sauvé et se préoccupèrent de l'enregistrer. Certains *conquistadores* lâchèrent l'épée pour la plume et commencèrent à noter leurs impressions, à donner des nouvelles en général, à dépeindre ce monde étrange et mystérieux qui attirait à cause de ses trésors fabuleux et repoussait par ses divinités effrayantes et ses rites sanguinaires. Hernan Cortès, qui surpassait tous les autres *conquistadores* autant par sa culture que par sa valeur en tant que général, organisateur et diplomate, rédigea de très intéressants rapports de guerre, qu'il envoya à l'empereur Charles Quint, entre 1520 et 1526. De nombreux écrits relatifs à l'ancien Mexique durent, par ailleurs, l'existence à des religieux espagnols, notamment au célèbre Bernardino de Sahagun. L'« Histoire générale des événements en Nouvelle Espagne » *(Historia general de las cosas de Nueva España)* qui traite des différents aspects de la vie civile des Aztèques, est son œuvre.

Légendes et traditions attribuent l'origine du nom « aztèque » à la ville de Aztlan, dans le Nord du Mexique, point de leur départ légendaire vers le Sud, en 1168. Les Aztèques s'arrêtèrent sur la rive. occidentale du lac de Texcoco où, selon une autre tradition, sur le rocher voisin de Chapultepec, entouré de bois et égayé par une source limpide. Un sanctuaire y fut bâti plus tard, qui servit de lieu de culte des morts et de résidence d'été pour les rois. Chapultepec est aujourd'hui un quartier élégant de Mexico.

Dans la préhistoire aztèque, ce même Chapultepec fut le théâtre de nombreuses batailles entre les tribus nahuas et aztèques, batailles qui aboutirent à la nette domination des Nahuas. Les Aztèques fuirent alors sur des radeaux et se réfugièrent sur quelques îles du lac de Texcoco où, aux environs de 1370, surgirent les premiers édifices de Tenochtitlan, qui devait devenir la grande capitale du royaume. La vraie dynastie aztèque ne débuta probablement qu'en 1376, avec le premier roi Acamapichtli. Elle s'éteignit avec Cuahtemoc, le onzième roi, successeur de Montezuma II, qui fut fait prisonnier des Espagnols, en 1521. Comme les autres tribus nahuas, les Aztèques croyaient que leurs rois descendaient directement du légendaire Quetzalcoatl. Aussi, au cours des funérailles royales, revêtaient-ils la statue du défunt de l'habit de Quetzalcoatl, et, lors de l'investiture du nouveau souverain, ces paroles étaient prononcées: «Souviens-toi que

Ruines de Tula, ville sainte des Toltèques.
Au fond, la pyramide tronquée de Quetzalcoatl sur laquelle
s'élevait le temple, dont le toit était soutenu
par de gigantesques statues.

ceci n'est pas ton trône, mais qu'il t'est seulement prêté et que tu devras le restituer à celui auquel il appartient, c'est-à-dire à Quetzalcoatl. »

L'Empire aztèque s'étendit à tout le plateau de Mexico sous le règne de Montezuma le Vieux, puis le long de la côte du golfe avec le roi Ahuitzoatl; il gagna, au sud, l'actuel Etat de Chiapas, aux confins du Guatemala. Une des dernières expéditions aztèques conquit la ville zapotèque de Iztlan, l'actuelle San Pablo Guelatao, lieu de naissance du grand président mexicain Benito Juarez. Ce fut Juarez, trois siècles après la fin de l'Empire aztèque, qui réveilla chez ses concitoyens les sentiments de fierté et d'indépendance nationale, en faisant revivre la gloire de leurs grands ancêtres.

Ce qui est aujourd'hui le centre de la ville de Mexico était le noyau principal de Tenochtitlan. Le rideau qui était descendu sur la ville, voici à peu près quatre siècles, commence à se lever. Les fondations du temple principal furent mises au jour en 1923 et quelques objets furent découverts; mais les grands temples, les palais, les trésors qui émerveillèrent les Espagnols avaient disparu pour toujours. L'une des photos qui accompagnent ce texte reproduit un dessin d'Ignacio Marquina, datant de 1519: elle donne une idée de ce qu'était la grandeur de la capitale aztèque. Un million de personnes, semble-t-il, l'habitaient au moment de sa destruction. Vue de haut, elle devait apparaître comme une île ovale flottant sur le lac de Texcoco et rattachée à la terre par trois chaussées issues du centre de la ville. Les rives de l'île étaient bordées de « verts jardins flottants » et parmi les masses cubiques des toits se détachaient de nombreux temples, chacun sur sa base en forme de pyramide tronquée.

Pour avoir un aperçu plus direct de cette extraordinaire forme de civilisation, dont les touristes peuvent encore retrouver quelques vestiges au Mexique, on doit se reporter aux civilisations qui, précédant celle des Aztèques, se fondirent en une seule. Tout d'abord, en raison de l'importance et de la valeur de ses ruines, et pour respecter l'ordre chronologique, il faut parler de la ville de Teotihuacan. Celle-ci est située à une cinquantaine de kilomètres au nord-est de Mexico et sa majestueuse architecture religieuse inspire au visiteur moderne un respect mêlé d'effroi. Elle est, en fait, un impressionnant hommage des hommes aux puissantes forces divines. Les ruines — où figurent des vestiges de divers stades de civilisation — que l'on peut dater de 200 avant Jésus-Christ à 17 après Jésus-Christ — occupent une aire rectangulaire de 5 kilomètres et demi sur 3 qui fut plusieurs fois recouverte d'une couche de chaux. L'édifice qui domine tous les autres de son énorme masse, est la pyramide du Soleil (Tonatiuh Itzacual). Elle mesure environ 200 mètres de large à la base et s'élève, par quatre terrasses, jusqu'à 60 mètres. Enorme aussi est la pyramide de la Lune (Netzli Itzagnal), également tronquée pour pouvoir y élever le temple.

Tenochtitlan et Teotihuacan

Le temple de Quetzacoatl à Teotihuacan,
emblème des civilisations pré-colombiennes au Mexique.

*Statuette d'argile (art zapotèque) considérée comme
un exemple de perfection réaliste dans l'art de ce peuple.*

L'extraordinaire technique des anciens sculpteurs de
pierre se manifeste dans le temple dit de Quetzalcoatl (le
Serpent à plumes). Les grosses têtes du dieu, qui se détachent sur la façade, les masques, les visages, les objets et
les joyaux de jade et de porphyre qu'on a trouvés dans ce
temple sont des chefs-d'œuvre de la culture centre-améri-
caine. Une des rares statues intactes, celle de la déessse des
Eaux, est un colossal monolithe de trois mètres, que conserve maintenant le musée national de Mexico.

Un peu au nord-ouest de Teotihuacan, au milieu d'une
plaine bien cultivée, s'élèvent quelques collines desséchées

par le soleil; sur l'une d'entre elles, réduite à l'état de simple plate-forme, on a retrouvé les ruines de Tula (ou Tollan), la ville sainte des Toltèques, dont la splendeur fut au zénith entre cinq et trois siècles avant les Aztèques. Les restes du jeu de pelote et d'une pyramide témoignent d'une architecture grandiose, mais peu raffinée, et on peut en dire autant de la sculpture. Sur cette colline plate, tufacée, de couleur gris rouge, les ruines prennent peu de relief par rapport au morne paysage environnant: aucun point de repère ne permet de mesurer la grandeur des édifices. Les Aztèques ont dépouillé Tula de quelques belles sculptures, qu'ils emmenèrent dans leur propre capitale comme butin de guerre.

La pyramide du soleil est l'édifice le plus important de Teotihuacan. Elle mesure environ 200 mètres de côté à la base et presque 60 mètres de hauteur. La construction, recouverte de pierre et de chaux, comporte quatre étages qui forment autant de terrasses.

*Sur les gradins de la pyramide du Soleil,
à Teotihuacan, les descendants actuels des Aztèques
ressuscitent les traditions de leurs ancêtres. Les deux photos
représentent la danse rituelle qui précédait le
« sacrifice de la Vierge », un des nombreux
rites sanguinaires que célébraient les prêtres.*

*Sur ce plateau de Teotihuacan, les Toltèques
érigèrent leurs édifices avant l'occupation aztèque. Au fond,
le gigantesque monument dédié au dieu Soleil;
au premier plan la tête du dieu Quetzalcoatl,
le serpent à plumes.*

Monte Alban et Mitla

Une route pavée grimpe des vertes plaines d'Oaxaca vers les pentes dépouillées du Monte Alban, dont le sommet (400 mètres au-dessus de la plaine environnante) fut nivelé par les Zapotèques et transformé en une plate-forme de 40 kilomètres carrés. Les Zapotèques appelèrent ce lieu Yucucui, c'est-à-dire la « colline verte ». L'histoire du Monte Alban nous est pratiquement inconnue et se déroule sur vingt siècles environ à compter de 500 ans avant Jésus-Christ, parallèlement à celle de bien d'autres civilisations centre-américaines. Le Monte Alban porte de très nombreuses constructions: temples, palais, autels, tombes, découverts par l'archéologue mexicain Alfonso Caso, en 1931. Il semble que la ville zapotèque soit devenue, vers la fin, une immense nécropole, après avoir été un centre religieux.

Au sud-est du Monte Alban, au milieu du village du même nom, apparaissent les ruines de Mitla, appelée Liobaa (« Centre de repos » ou « Lieu souterrain des morts ») avant l'occupation espagnole. L'architecture de Mitla, confrontée avec celle du Monte Alban, montre une extraordinaire sobriété de lignes, une légèreté inhabituelle de décoration. Mitla est l'oeuvre d'un peuple raffiné: les grandes salles, les colonnades, les mosaïques en relief témoignent d'un haut sens artistique auquel les Zapotèques contribuèrent sans doute, mais non d'une manière déterminante.

Le Monte Alban (Yucucui: « Colline verte »)
est aujourd'hui une colline dénudée qui domine d'environ 400
mètres la plaine environnante. Les monuments
de Monte Alban appartiennent à différentes périodes
qui s'étendent à peu près sur vingt siècles:
ce sont, principalement, des tombeaux.

Une vue des ruines de Mitla.

Pas plus que les autres civilisations américaines, la population aztèque n'avait surmonté les difficultés économiques et techniques qui caractérisent l'ère de transition de la pierre au métal, dans le monde eurafricain et eurasiatique. En dépit de l'emploi de l'or et de l'argent (travaillés à Oaxaca et dans le Yucatan), du cuivre et du bronze, c'était encore la pierre que l'on utilisait le plus pour fabriquer des armes ou des objets d'usage courant.

L'état général de la société aztèque semble donc avoir été celui des sociétés barbares; d'une part une masse humaine dispersée dans la campagne et condamnée à des travaux serviles; d'autre part le souverain, la caste militaire et la caste religieuse, qui tenaient le peuple assujetti et exploitaient son travail au profit d'œuvres plus fastueuses qu'utiles. Seuls monuments grandioses: les palais, les sépulcres des souverains et les temples, ces derniers bâtis au sommet de gigantesques pyramides à gradins. Les bas-reliefs qui en recouvrent les parois, quand ils ne sont pas d'inspiration mythologique, célèbrent les exploits guerriers des princes.

La vie des Aztèques

A cette époque l'art subit une impulsion progressiste: vases aux formes variées, richement décorés, joyaux en or, argent et pierres précieuses, fibres végétales et plumes tressées, statuettes d'animaux et de divinités, tout ceci accroissant considérablement le commerce.

Bien différentes et plutôt misérables étaient les habitations du petit peuple, et il en existe encore de nombreux exemples. Ces maisons étaient construites en briques d'argile séchées à l'air, et couvertes soit d'un toit plat à poutres, soit (comme à Xochimilco) d'un toit pointu en paille, bien travaillé. Les Aztèques appelaient ces constructions *xa-callin*, les distinguant des cabanes primitives à murs et toits de roseaux, qui servent encore aujourd'hui d'habitations. La base de la maison était carrée, les formes ovales et rondes dans la construction étant inconnues des Aztèques. A côté de la maison sans fenêtres, se trouvait un grenier en pierre et argile pour entreposer le maïs; attenant à ce dernier, un bain de vapeur réchauffé de l'extérieur. A l'entrée était sculptée la tête de Teteo, grande déesse de la terre et de la fécondité, remplacée aujourd'hui par la Vierge. Les bains de vapeur étaient d'ailleurs consacrés à Teteo, car les femmes qui attendaient un enfant en prenaient souvent pour faciliter l'accouchement.

Mitla: la surprenante décoration des murs intérieurs du patio de Las Grecas, *ainsi appelé à cause de ses motifs ornementaux.*

Dans ces fermes, il n'y avait pas d'étable, car les Aztèques n'élevaient que deux sortes d'animaux: des chiens et des dindons, qui vivaient dehors et qui servaient à l'alimentation, ou bien étaient considérés comme sacrés. L'intérieur des maisons était extrêmement simple; le foyer, le *metate*, est utilisé encore aujourd'hui et est composé d'une pierre meulière carrée (légèrement concave et inclinée vers l'arrière) où était broyés avec un rouleau (souvent en pierre) les grains de maïs, cuits auparavant avec de l'eau et de la chaux éteinte pour les rendre plus doux.

Les Aztèques étaient un peuple de paysans, contraints de vivre sur une terre marécageuse où les parcelles cultivables étaient très rares. Cela les incita à imaginer des moyens de soustraire à l'eau le terrain que leur refusait la nature. Ils construisirent donc des *chinampas* (jardins flottants) pour y cultiver des plants comestibles, surtout des légumes. Il existe encore un nombre considérable de ces *chinampas*, qui alors étaient caractéristiques de l'économie agricole, sur un lac d'eau douce situé au sud de Tenochtitlan, près de la petite ville de Xochimilco, « lieu des champs de fleurs ». Toujours actuellement, ces jardins suffisent aux besoin de la capitale en verdure et en fleurs. On y a récupéré 35 kilomètres carrés de sol cultivable en y plaçant des treillages flottants qui, remplis de roseaux. de branches et de boue, furent fixés au fond du lac par des saules. De cette manière, le lac entier fut recouvert d'un labyrinthe d'îles artificielles et d'étroits canaux. Les *chinampas* sont très fertiles; ils n'ont pas besoin d'être arrosés et ne reçoivent de l'engrais que très rarement. L'unique instrument que le paysan indien employait, soit pour cultiver ces potagers, soit pour travailler la terre ferme, était le *coa*, un bâton de bois élargi à une extrémité comme une bêche. Dans les terrains boisés, les champs s'appelaient *milpas*; on y cultivait du maïs, des haricots, des citrouilles, des tomates et autres plantes à graines, le *magüey* (l'agave) duquel était extraite la boisson enivrante des Aztèques, le *pulque*, consommé encore aujourd'hui par les Mexicains. Le *magüey*, une seule fois dans sa vie, et pendant six mois, produit un liquide sucré, qui s'écoule des entailles faites dans ses branches et qui est aspiré dans des récipients tubulaires.

Les Aztèques ne permettaient qu'aux personnes âgées de boire du pulque. En réalité, ils en détestaient l'usage immodéré et considéraient celui-ci comme un vice des peuples étrangers, méprisables comme des barbares; c'est seulement après l'invasion espagnole que tombèrent ces préjugés. L'alimentation des Aztèques était surtout végétale, à base de maïs; c'est du maïs qu'ils tiraient leur boisson, le *pozol*. Parfois, cependant, ils mangeaient de la viande et surtout du poisson assaisonné avec du *chile*. sauce piquante au poivre. A la fin du repas ils buvaient du cacao et fumaient des cigares, assis sur des rouleaux de joncs liés ensemble, car les chaises ou les fauteuils étaient réservés aux princes. Ils dormaient par terre, sur des peaux ou des nattes.

Les chasses rituelles au cerf ou à d'autres animaux sont demeurées célèbres dans les traditions de la période précédant l'invasion espagnole. La chasse était devenue

Techniques d'assèchement

Mitla; la décoration du palais des Colonnes témoigne du raffinement et du soin qu'apportèrent les constructeurs à l'édification des palais de cette ville.

Des sièges pour les Princes et les Prêtres

*Monte Alban. Ces dessins gravés dans la pierre
représentent des figures de danse qui datent de la période
mixtèque-zapotèque.*

Coatlicue, mère des dieux.

Une divinité aztèque.

Statue de Mictlantecutli, déesse au corps de jaguar et à tête de mort (époque aztèque).

Buste représentant un guerrier de l'époque aztèque. La tête est ornée d'une sorte de casque en plumes.

pour les Aztèques une sorte de cérémonie et un sport car le gibier n'était pas destiné à la nourriture, comme l'était le produit de la pêche. Dans un Etat autocratique et aristocratique comme celui des Aztèques, il n'était pas question, bien entendu, de représentation populaire. Les chroniqueurs espagnols appelaient « sujets et plébéiens » ceux qui pour les Aztèques étaient des *macehualle*. Il existait aussi des clans entiers (*calpulli*) dont les membres avaient appartenu à l'origine à d'autres races, puis avaient été incorporés par les Aztèques mais pour exercer des métiers inconnus de ces derniers et qui leur étaient fort utiles. Les *calpulli* avaient réussi à former des corporations artisanales privilégiées. En monopolisant le commerce et en prêtant des fonds avec intérêt, ils finirent par dominer la vie économique de l'ancien Mexique.

Il y avait peu d'esclaves. Une partie d'entre eux étaient des prisonniers de guerre, ou bien des jeunes gens et des garçonnets aztèques. L'on sacrifiait certains prisonniers aux dieux, tandis que les autres pouvaient racheter leur liberté en payant une somme fixée. Cependant les esclaves étaient traités avec humanité.

« Le père est la racine, il est la clef de voûte de la famille. » Tels sont les mots que l'on trouve dans le texte aztèque de Sahagun, et, en effet, tout l'édifice social aztèque repose sur une conception juridique patriarcale qui préside même aux mariages. Par son mariage l'épouse était intégrée aux *calpulli* et si elle devenait veuve avec des enfants, elle se remariait habituellement avec le frère de son mari défunt. A la tombée de la nuit, l'épouse était amenée à la lueur d'une torche sur les épaules d'une femme plus âgée, jusqu'à la maison de son époux. Le jeune couple s'asseyait sur une natte devant le foyer. Puis les époux revêtaient leurs habits de cérémonie, buvaient et mangeaient en compagnie d'un homme et d'une femme âgés, qui les instruisaient des devoirs du mariage. Il leur fallait attendre encore quatre jours passés en cérémonies religieuses, avant que leur union ne fût définitive. Pour des raisons économiques, seules les classes les plus élevées pouvaient s'offrir en plus d'une épouse, une ou plusieurs concubines. Ces dernières étaient souvent filles de *macehualle*, qui considéraient comme un honneur l'envoi d'une enfant dans le harem du roi ou d'un noble. L'amour vénal était probablement assez répandu, si l'on en croit le témoignage de Sahagun. Celui-ci parle des *ahuianime* (filles de plaisir) qui, maquillées et parées d'une façon extravagante, erraient çà et là, sans demeure fixe.

Des divinités terribles

Les Aztèques, adeptes de croyances à caractère nettement fétichiste (aujourd'hui encore leurs descendants attachent beaucoup d'importance aux sorciers et à la magie) révéraient cependant un véritable panthéon de divinités: dieux domestiques et dieux de la nature. Parmi eux, celui de la pluie, de la terre, de la végétation (Xipe Totec), de la mort, et le dieu des jeux et des fleurs (Macuilxochitl), étaient spécialement honorés. Les dieux principaux étaient Quetzalcoatl, Tetzcatlipoca et Huitzilopochtli. Le premier avait pour symbole un serpent ailé, le second un miroir et le troisième un colibri. Bien que ces dieux fussent représentés dans leurs temples par des idoles de forme humaine, ils l'étaient souvent aussi par leurs symboles particuliers. Le serpent et la croix sont les symboles que l'on trouve le plus fréquemment au Mexique et en Amérique Centrale. La croix, qui surprit tant les Espagnols, désigne généralement le dieu du vent. Quetzalcoatl était le dieu éducateur et civilisateur des hommes; Tetzcatlipoca était le créateur du monde physique et grand maître des éléments; Huitzilopochtli était plus particulièrement le dieu des Aztèques, celui qui les avait aidés à former leur peuple et à fonder son empire. C'est à cette dernière divinité et à celle de la guerre que l'on offrait des sacrifices humains qui, trop souvent, impliquaient des véritables hécatombes d'individus appartenant d'habitude aux peuples vaincus.

Puissants et grands, les dieux aztèques passaient pour n'être pas inaccessibles. Les hommes croyaient pouvoir agir sur eux; ils visaient en fait à intervenir activement et énergiquement dans le déroulement des événements, à aider leurs dieux ou à conquérir leurs faveurs. Chacune de leurs cérémonies était un acte de magie.

Les cultes aztèques nous semblent barbares, toutefois le sens moral n'en était pas entièrement absent. Par le sacrifice « on payait le péché », comme il est dit dans un hymne aztèque, tandis qu'une « insulte aux dieux » leur dérobait « ce qui leur était dû ». Les dons destinés aux dieux étaient souvent le symbole de ce que l'on désirait d'eux. L'offrande la plus précieuse qu'un être humain pût faire était son propre sang. Pour se tirer du sang, les Aztèques utilisaient, soit des os pointus, soit un couteau en obsidienne (pierre volcanique grise) et se piquaient les oreilles, la langue, la poitrine ou les mollets.

◄ Sacrifice humain au dieu du Soleil (que l'on voit en haut
à gauche). Tandis que quatre aides tiennent fermement
la victime, l'officiant lui ouvre la poitrine et offre au dieu
le cœur tout sanglant qu'il vient d'arracher.

▲ La pyramide de Tajin est unique dans son genre.
Elle comprend six étages et trois cent soixante-cinq niches
utilisées comme tombes. Très vraisemblablement
chaque cavité était consacrée à l'un des jours de l'année.

147

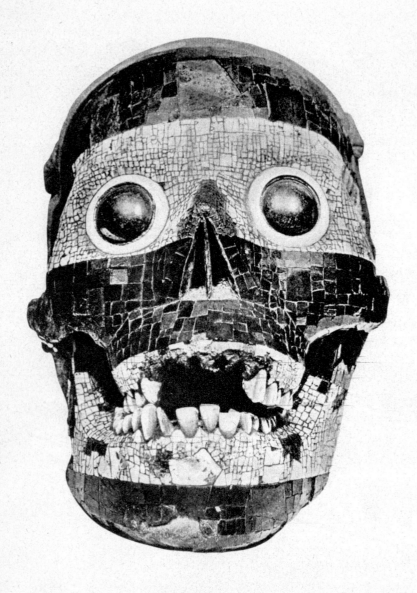

Le sang s'écoulait sur une feuille d'agave, dans un bouquet d'herbes tressées que l'on posait ensuite devant la statue du dieu. L'offrande du sang était réservée au dieu du soleil et à celui du feu. Lors de la consécration du temple de Ahuitzoatl, 20 000 hommes furent sacrifiés en quatre jours. L'homme destiné au sacrifice était jeté sur une pierre basse, en forme de tronc de cône, sur lequel reposait son thorax maintenu bombé; ses bras et ses jambes étaient serrés fermement au sol par les assistants de l'officiant. A ce moment ce dernier ouvrait la poitrine de la victime avec un couteau de pierre, en extirpait le cœur qui, avec le sang, était offert à la statue du dieu. Découpé en morceaux, le corps du supplicié était jeté en bas de la pyramide à l'exception de la tête.

Les rites religieux, que le clergé avait minutieusement réglés dans toutes leurs manifestations périodiques, contribuèrent au perfectionnement du calendrier, c'est-à-dire

Ils divisèrent l'année en 365 jours

Vase représentant Macuilxochitl, dieu des jeux et des fêtes.   *Ce magnifique ouvrage en or représente le dieu des morts, Mictlante Cuhtli.*

à l'une des meilleures réalisations de la culture aztèque. En fait les Aztèques, en se fondant sur de nombreuses observations, avaient su déterminer avec beaucoup d'exactitude la durée de l'année, composée de 365 jours et divisée en 18 mois de 20 jours chacun, les 5 derniers jours étant réservés à des cérémonies religieuses solennelles et particulières. Beaucoup de renseignements nous ont été fournis par les inscriptions hiéroglyphiques aztèques, bien que ces hiéroglyphes appartiennent à un type beaucoup plus primitif que celui des vieilles civilisations orientales du monde antique. Il existait au Mexique plus de quatre-vingts dialectes formant onze ou douze groupes que l'on pourrait classer en quatre ou cinq grandes familles linguistiques. Il en reste bien peu de nos jours, et l'invasion européenne n'en est pas seule cause, mais aussi la venue des Apaches qui, de l'Arizona, firent irruption au Mexique, saccageant et détruisant tout.

149

La tenue de cet Indien était celle de ses ancêtres et
son étrange activité artisanale demeure fidèle au passé.

Guerriers aztèques au cours de la danse des plumes
qui se déroule chaque dimanche devant la cathédrale de Mexico.

150

*Oaxaca: à l'occasion de la fête de la Vierge
de la Solitude, patronne de la ville, la foule, le marché,
les baraques envahissent la rue. Une affiche, devant
l'une de ces baraques, annonce la femme tortue
(la mujer tortuga).*

*Ce singulier grenier, à base circulaire,
construit en argile, présente encore aujourd'hui les mêmes
caractéristiques qu'il y a cinq cents ans.*

Tenace fidélité au passé

La civilisation aztèque a disparu, mais les Aztèques vivent toujours. Nous désignons par là tous les Indiens vivant au Mexique, y compris les descendants de populations précolombiennes; ces Indiens constituent encore 30 pour 100 des 32 000 000 d'habitants de ce pays. Le reste de la population n'est pas uniquement composé de descendants d'Européens, bien que ces derniers en constituent la majeure partie (55 pour 100 de la population totale), mais aussi de métis, c'est-à-dire d'individus qui ont dans les veines une notable proportion de sang indien. Le

Un peu au sud de la capitale mexicaine, à Xochimilco
(« lieu des champs de fleurs »), l'on cultive encore aujourd'hui
des légumes et des fleurs dans les chinampas
(jardins flottants). Chaque dimanche, en souvenir des fêtes
aztèques, les larges barques fleuries sur lesquelles jouent
d'excellents orchestres, offrent à la foule un divertissement.

Femmes indiennes au marché d'un village proche de Mexico.

Tous les caractères ethniques de l'Indien se retrouvent sur ce visage mélancolique et sauvage.

Mexique est un pays moderne; ce qui n'empêche pas les communautés qui semblent vivre presque comme au temps des Aztèques d'y être fort nombreuses. La civilisation espagnole ne les a pas atteintes. Le fait que l'économie et la vie privée des Aztèques du XXᵉ siècle et de la majeure partie des Indiens du Mexique n'aient pas beaucoup évolué depuis la conquête espagnole s'explique surtout par l'attachement tenace à la tradition, attachement qui ne se dément pas, même lorsque ces Indiens, établis dans les villes, sont apparemment « espagnolisés ». La langue

154

*Environ 30 pour 100 de la population mexicaine
ont échappé aux mélanges de races. Quant aux porteurs de
sang mixte, ils demeurent fidèles aux coutumes des siècles
passés. Cette photo, prise sur le territoire d'Oaxaca,
montre la parure d'une jeune femme et un vase de terre cuite
dont le style est encore celui de l'art aztèque.*

aztèque est demeurée vivante dans certains endroits du
Mexique. Autour de la ville de Tepoztlan (localité située
non loin des jardins de plaisance des rois aztèques), dont
la population est encore aztèque, tous les éléments importants de la civilisation matérielle, à l'exception des habits
masculins et des instruments de fer, sont d'origine pré-
espagnole. Les Espagnols ne les ont pas détruits. Dans certains territoires, le christianisme n'est connu que de nom
et les croyances comme les rites religieux sont empreints
du plus absolu paganisme.

La très forte boisson appelée *pulque*, autrefois réservée aux personnes âgées, est maintenant très appréciée de tous. Rien n'en interdit la consommation. Il arrive donc fréquemment de rencontrer dans les rues des Indiens vacillants et ivres. Aujourd'hui l'agave est cultivé sur le haut plateau mexicain. On demeure stupéfait, en visitant ce pays, où l'une des civilisations américaines les plus modernes a pris corps, de trouver des endroits où le temps semble s'être arrêté depuis quatre siècles.

Uxmal: un Indien maya près des ruines du palais des Xiu.
Dans le fond, la grande pyramide.

A TRAVERS LE YUCATAN
LE "CHEMIN A REBOURS"
DE LA CIVILISATION MAYA

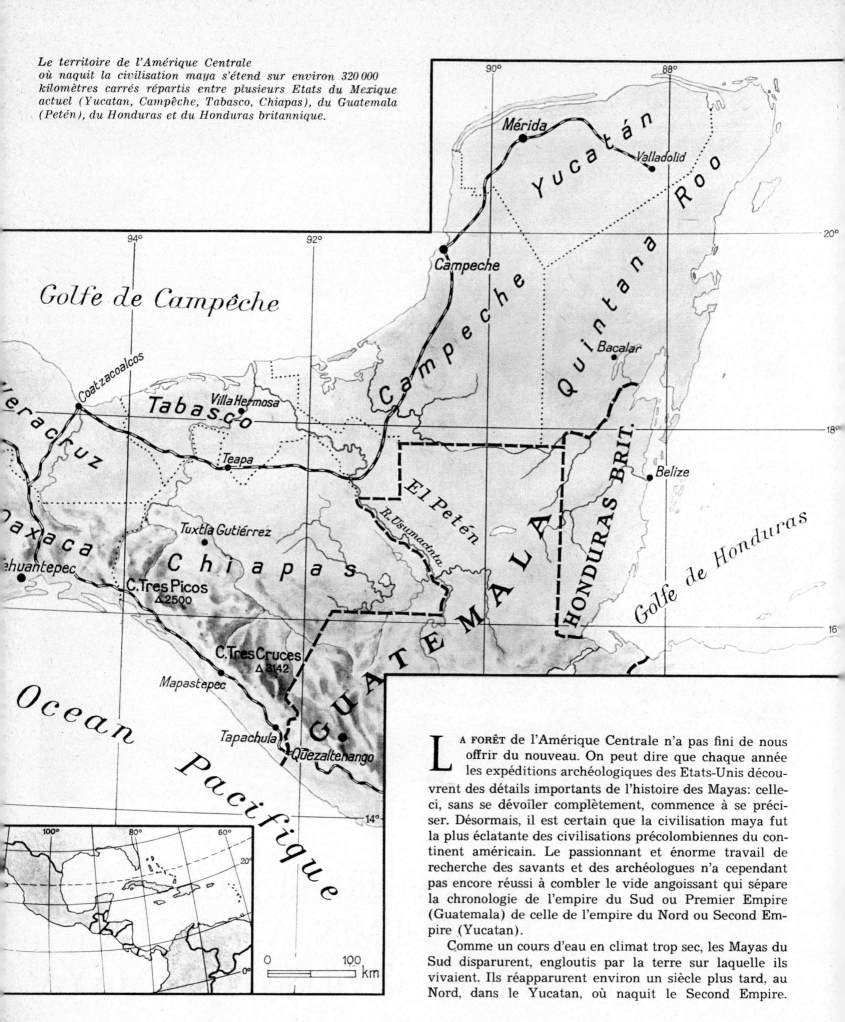

Le territoire de l'Amérique Centrale
où naquit la civilisation maya s'étend sur environ 320 000
kilomètres carrés répartis entre plusieurs Etats du Mexique
actuel (Yucatan, Campêche, Tabasco, Chiapas), du Guatemala
(Petén), du Honduras et du Honduras britannique.

LA FORÊT de l'Amérique Centrale n'a pas fini de nous offrir du nouveau. On peut dire que chaque année les expéditions archéologiques des Etats-Unis découvrent des détails importants de l'histoire des Mayas: celle-ci, sans se dévoiler complètement, commence à se préciser. Désormais, il est certain que la civilisation maya fut la plus éclatante des civilisations précolombiennes du continent américain. Le passionnant et énorme travail de recherche des savants et des archéologues n'a cependant pas encore réussi à combler le vide angoissant qui sépare la chronologie de l'empire du Sud ou Premier Empire (Guatemala) de celle de l'empire du Nord ou Second Empire (Yucatan).

Comme un cours d'eau en climat trop sec, les Mayas du Sud disparurent, engloutis par la terre sur laquelle ils vivaient. Ils réapparurent environ un siècle plus tard, au Nord, dans le Yucatan, où naquit le Second Empire.

*Cette tête en pierre, admirable par la puissance
de son expression, provient du temple maya de Kabak, près
de la ville d'Uxmal, dans le Yucatan occidental.*

*Dans l'île de Jaina (côte occidentale du Yucatan)
on a retrouvé de nombreuses figurines en terre cuite dont les
exemplaires les plus précieux sont l'œuvre des artistes
des VIIe et IXe siècles.
Celle-ci est conservée au musée de Mexico.*

Qu'était-il advenu? Le sol des hauts plateaux guatémalté-
ques avait-il perdu sa fertilité à la suite d'un changement
de régime hydrographique ou climatique? Des épidémies et
des famines auraient-elles réduit le peuple maya à un point
tel il lui aurait fallu plus de cent ans pour se reconstituer?
Nous l'ignorons et sans doute ne le saurons-nous jamais
très exactement. Parmi les événements qui pourraient
avoir déterminé le grand tournant dans l'histoire des
Mayas, on a mentionné, outre les deux hypothèses qui
précèdent, les tremblements de terre, les invasions étran-
gères, les guerres civiles, l'appauvrissement moral et intel-
lectuel, l'effondrement du système économique agricole,
l'impossibilité de subvenir aux besoins alimentaires d'une
population en rapide accroissement. On a aussi émis l'hy-
pothèse passionnante selon laquelle les classes inférieures
se seraient révoltées un jour contre l'hégémonie des prêtres: une nouvelle philosophie, plus individualiste, aurait

souleve les paysans contre les abus de la caste sacerdotale. Cette théorie est séduisante. C'est peut-être la seule qui expliquerait l'écroulement de la classe religieuse à laquelle il faut néanmoins laisser le mérite d'un passé prestigieux.

L'histoire des Mayas n'a pas fini de nous intriguer. Pourquoi cet interrègne entre l'empire du Sud et l'empire du Nord? Pourquoi un peuple entier abandonna-t-il les lieux où il avait connu une vie heureuse et les gloires de la civilisation, pour s'aventurer vers le nord, dans des régions peu connues? Bien que réduit numériquement (théorie des cataclysmes, des famines ou des guerres) ou en état de crise intellectuelle et sociale (théorie de la révolte contre la caste sacerdotale), ce peuple emporta avec lui un trésor de connaissances que nul ne pouvait plus lui ravir.

La domination des prêtres-astronomes, qui avaient inventé le calendrier le plus parfait du monde ne s'est pas rétablie dans le nord, car les dates favorables aux semailles et à la récolte du maïs n'étaient plus désormais un secret. Six siècles d'apprentissage agricole au service des castes dirigeantes, avaient rendu publiques les règles sacrées découvertes par les prêtres-astronomes. Les Mayas pouvaient se passer de prêtres pour cultiver le maïs.

Quand on parle de l'empire du Sud et de l'empire du Nord, on utilise une terminologie géographique non dépourvue de contradictions. L'empire du Sud gravitait autour de Tikal et de Copan, mais, depuis 711, alors que la civilisation de Copan resplendissait encore, il existait au Yucatan, c'est-à-dire dans le nord, un autre centre d'une certaine importance: Chichén Itza, où s'étaient établis les Itzas, princes qui, par la suite, jouèrent un rôle décisif dans l'histoire compliquée du Nouvel Empire. L'existence de cette ville était certainement connue des gens du Sud. L'émigration du peuple maya avait donc un but.

Les Itzas, dont l'arrivée correspond plus au moins à celle du légendaire Kukulcan (sans doute un roi mexicain en exil), venaient, eux aussi, du Mexique. Ainsi les Mayas de l'empire du Sud arrivèrent-ils dans le Yucatan, après une migration mexicaine. Plus tard, une nouvelle migration mexicaine se superposa, croit-on, aux deux précédentes. Dirigée par les Xiu, elle se fixa tout d'abord à Nonoualco, puis à Bacalar, puis à Chichén Itza (1027); enfin quand les Itzas revinrent dans la ville qui leur doit son nom (Chichén Itza signifie « le puits des Itzas »), les émigrants mexicains fondèrent la ville d'Uxmal. A cette époque, l'architecture du Yucatan est très visiblement influencée par les Toltèques, race mexicaine originaire de Tula mais fixée depuis des siècles dans la région de Veracruz. Les populations mexicaines se mêlent ouvertement des affaires politiques locales. Certains princes mayas ont à leur service des détachements armés mexicains (mais n'y avait-il pas aussi des princes mayas contrôlés par des soldats mexicains?). Etant donné que la migration mexicaine au Yucatan s'est révélée beaucoup plus importante que celle des Mayas, l'histoire de l'empire du Nord ou Second Empire, se trouve insérée dans l'histoire des peuples mexicains.

◄ *Le fameux « jaguar rouge » du castillo de Chichén Itza, stupéfiant exemple de trône-jaguar. Les yeux et les luches de la peau sont des boules de jade incrustées dans la pierre.*

Un empire en marche

Un Chacmool (Chac était le dieu de la pluie) retrouvé à Chichén Itza.

La période Mexicaine

La civilisation maya est née de la culture du maïs. La précieuse semence qui a nourri toute l'Amérique antique, pourrait bien avoir germé pour la première fois au Pérou ou sur les plateaux du Guatemala. Les savants ne sont pas d'accord à ce sujet. Il existait certainement trois mille ans avant Jésus-Christ, dans le pays qui devait par la suite devenir le berceau de la civilisation maya, une graine sauvage appelée *teozinte*. C'était le maïs. Les indigènes la cultivèrent. Deux siècles après Jésus-Christ, ces indigènes s'appelaient Mayas et, depuis six siècles, ils avaient conçu un alphabet et un calendrier parfaits. La première date qui correspond certainement au moment où elle fut notée, figure sur la table de jade de Leyde: c'est 320 après Jésus-Christ. La plus ancienne dalle de pierre monumentale (où stèle) connue est la stèle 9 de Uaxactum: elle porte la date 329. A cette époque la ville maya la plus florissante était Tikal, située dans la forêt du Petén septentrional. On peut dire avec certitude, en se fondant sur les découvertes et les études archéologiques des dernières années, que les 50 kilomètres carrés de Tikal (centre religieux, ville proprement dite, faubourgs et environs) groupaient plus d'un million d'habitants. Aujourd'hui, sur 320 000 kilomètres carrés — presque les deux tiers de la France — vivent moins de deux millions d'hommes de souche linguistique maya.

L'histoire des Mayas gravite le long de deux méridiens,

*Masque masculin en stuc,
peint en rouge, retrouvé dans les fouilles de Palenque.*

*Enorme tête sculptée dans la pierre, provenant
elle aussi de Palenque. Les traits des Mayas d'aujourd'hui
rappellent ceux qu'ont représentés leurs ancêtres.*

le 89e et le 90e: au IIIe siècle, à Tikal (90e méridien, 17e parallèle) au Ve siècle, à Copan (89e méridien, 14e-15e parallèles), du IXe au XVIe siècle, à Chichén Itza, Mayapan et Uxmal (89e méridien, 20e et 21e parallèles). Tikal est au centre de la ligne verticale qui relie les grandes villes. trois cents kilomètres plus bas, c'est Copan; quatre cents kilomètres au nord, ce sont les trois villes du Nouvel Empire.

Il faut dire que l'histoire des Mayas n'a pas encore révélé son secret. Mais s'il reste encore à découvrir ou à mettre au jour plusieurs villes ou centres religieux perdus dans la grande forêt de l'Amérique Centrale, le seul Puits sacré de Chichén Itza a restitué plus de mille objets en une année de recherches systématiques, exécutées conjointement par les autorités mexicaines et par les missions archéologiques des Etats-Unis. Parmi ces objets figurent, outre les jades, les ambres et les obsidiennes, de nombreuses figurines en caoutchouc.

D'où viennent ces objets? Les jades, les obsidiennes et les ambres sont originaires des provinces du Premier Empire; les ustensiles en silex proviennent également de cette région et plus précisément de la forêt de Petén, entre Tikal et Uaxactun. Les objets d'or, les cloches et les haches en cuivre ont été importés du Haut-Mexique. D'autres objets ne peuvent être classés ou datés avec certitude.

Les matériaux employés de préférence dans la construction des temples, des observatoires, des pyramides, sont le bois, le grès et le tuf. La pierre était travaillée avec des instruments de pierre et de bois. Tikal s'est illustré par la sculpture du bois, Copan par la sculpture sur pierre, Palenque par les travaux en stuc, Chichén Itza par l'architecture et la céramique peinte, Bonampak par les peintures murales.

Présence d'une civilisation

Un délicat visage féminin, œuvre des artistes qui travaillèrent aux édifices de Palenque (musée de Mexico).

Le fameux masque de jade qui recouvrait le visage (coutume funéraire) du guerrier enseveli à Palenque.

◄ *Détail de la grande fresque murale communément appelée « Histoire des Arts médicaux ».*

▲ *Autre détail de la grande fresque murale: « Histoire des Arts médicaux ».*

Villes enfouies dans la forêt
Coffrets de mystères absolus

Tikal et Copan, les joyaux du Premier Empire, sont des villes secrètes, enfouies depuis des siècles dans la forêt qui les a en même temps conservées et détruites.

Des quatre sites archéologiques principaux du Nouvel Empire — le Yucatan — deux sont au contraire aisément accessibles. L'avion venant de Mexico et de Cuba fait escale à Merida: de là, d'excellentes routes conduisent à Uxmal ou à Chichén Itza.

Mais les deux autres villes, Palenque et Bonampak, ne peuvent être atteintes et visitées aussi facilement.

Bonampak signifie « peinture rouge » et la découverte du site est relativement récente. On la doit à un photographe nord-américain que la recherche des derniers purs Mayas avait poussé à s'aventurer jusque-là. Il avait dû donner six chevaux blancs au chef maya de la ville pour se faire indiquer le temple où se trouvent les fameuses peintures rouges.

Située aux confins du Mexique et du Guatemala, en pleine forêt, entre les fleuves Usumacinta et Lacnaja, Bonampak possède de magnifiques peintures murales de l'époque classique, qui donnent une idée assez précise de ce qu'était la structure de la classe dirigeante. Elles introduisent le spectateur dans une cérémonie maya et les scènes sont présentées avec tant de naturel qu'on a l'impression d'y prendre part.

Palenque, l'une des villes les plus importantes de la vallée de l'Usumacinta, a été le second site d'époque classique reconnu après Copan. Son architecture est assez remarquable. Le palais est l'une des constructions les plus singulières du règne des Mayas; les enfilades de pièces, la haute tour carrée, les recoins, les passages souterrains en font un ensemble unique au monde. Palenque est également célèbre par une crypte découverte récemment dans les souterrains du temple des Inscriptions. Le guerrier au masque de jade, retrouvé à ce même endroit (une parfaite reproduction du tombeau existe au musée de Mexico), prouve qu'à cette période classique les pyramides faisaient parfois fonction de monuments funéraires.

Uxmal, capitale des Xiu, est particulièrement renommée pour son « palais des Gouverneurs »: c'était la résidence de la famille princière qui décida de collaborer avec l'envahisseur espagnol.

D'anciens dessins originaux illustrant la technique
constructive des Mayas ont permis de synthétiser
en un tableau quelques-unes des phases du travail. A gauche:
transport d'un bloc de pierre quadrangulaire.
Au milieu: technique de soulèvement d'un pesant monolithe.
Au fond: sculpteurs à l'œuvre sur un échafaudage.
A droite au premier plan: un guerrier en costume de guerre
surveille les travaux, armé d'une massue
en obsidienne à six pointes.

De même qu'Uxmal est intimement liée aux fastes de la famille Xiu et Mayapan à celle des Cocom, la capitale du Nouvel Empire — son nom même l'indique — doit beaucoup à la famille des Itza. Chichén Itza est, du point de vue touristique et archéologique, d'une énorme importance. La ville se divise en deux parties distinctes: celle du sud, avec son observatoire astronomique appelé *Caracol* (coquille), en raison de sa structure en spirale, et celle du nord où se trouvent le temple à Kukulcan, le temple des Guerriers et le Jeu de Pelote. Ce dernier, une importante construction avec une belle cour, permet d'imaginer aisément comment se pratiquait le jeu sacré, dont l'invention remonte aux Toltèques. Il s'agissait de faire passer une balle de caoutchouc dans deux anneaux de pierre fixés aux murs de l'enceinte. La balle ne devait être renvoyée qu'à l'aide du coude, du poing ou de la hanche. Quiconque la touchait de la main commettait une faute.

Le temple de Kukulcan — la grande pyramide qui domine toute la ville de Chichén Itza — fut construit par étapes successives. Ainsi ce qui devait être le sommet du temple à l'origine est devenu crypte quand les prêtres décidèrent de recouvrir la pyramide d'un nouvel escalier monumental. On y a trouvé deux sculptures très importantes, connues sous les noms de « Chacmool » et de « Jaguar rouge ». De la ville une route se dirigeait vers le nord par la forêt. Elle menait au Puits Sacré, où le peuple et les prêtres procédaient à des sacrifices humains en période de trop grande sécheresse.

Au cours des deux siècles qui précédèrent l'arrivée des Espagnols sur la terre mexicaine des Mayas, des événements catastrophiques se multiplièrent. En 1441 la famille des Xiu détruisit Mayapan, mettant fin à la ligue des tribus connue sous le nom de ligue des Mayapan, durant l'époque de la renaissance mexicaine, qui avait régi les destinées de la nation maya. En 1464 il y eut un très fort ouragan, une tornade probablement — et l'on sait quelle violence ces phénomènes acquièrent dans les terres baignées par la mer des Antilles. En 1480 une épidémie de peste bubonique se déclara; en 1496 on enregistra un taux très élevé de mortalité à la suite de guerres civiles; en 1516 enfin, six ans après que les premiers Espagnols (ils étaient onze) eurent mis le pied sur le sol du Yucatan sous la direction de Valdivia, le pays subit une très violente épidémie de variole. Cette succession de malheurs avait profondément démoralisé le peuple maya qui déjà, pour des raisons diverses, était sur le chemin de la décadence. La foi des Mayas en leurs dieux était ébranlée. A l'arrivée de François de Montejo, lieutenant de Cortès, le prince Tutul Xiu, dont la famille avait vaincu les seigneurs de Mayapan, n'offrit aucune résistance: il se présenta devant le commandant espagnol, lui disant qu'il avait compris que le dieu des envahisseurs était plus puissant que celui des Mayas. Il se rendit en demandant à être baptisé, et offrit du même coup à Montejo un empire et une âme. Les Itzas, qui vivaient encore au Yucatan, bien que moins puissants qu'auparavant, ne partagèrent pas le point de vue des Xiu. Ils préférèrent à la soumission la fuite au Petén. Un siècle plus tard, les deux familles princières étaient anéanties, les Xiu par absorption, les Itzas du Petén par les armes. Si le jugement moral peut se montrer plus favorable à

Chichén Itza

Ce jeune couple maya, accompagné de la mère de la jeune femme, escalade les remparts extérieurs du « Jeu de Pelote », à Chichén Itza.

l'esprit d'indépendance des Itzas, la critique historique doit reconnaître que Tutul Xiu avait parfaitement compris la situation. A la longue, les Mayas n'auraient pu résister aux Espagnols. La dynastie des Xiu a survécu jusqu'à aujourd'hui. Ce ne sont plus des princes, ils cultivent le maïs comme les autres Mayas du Yucatan qui ne sont pas employés au travail du caoutchouc ou du sisal. Pourtant, le peuple appelle don Dionisio « le roi » et doña Eduarda, sa mère, « la reine ».

Les Mayas d'aujourd'hui

A Uxmal, capitale de la famille princière des Xiu venus du Nord, s'élève cette « pyramide du devin » qui, contrairement aux autres édifices analogues, est construite sur une base elliptique.

De Coatzacoalcos (qui s'appelle aussi Puerto Mexico) on peut gagner Mérida par le train. Le chemin de fer du Yucatan est parmi les plus pittoresques du monde. La tête de ligne est Allende, petite ville située en face de Coatzacoalcos, sur les rives du fleuve du même nom: et ce nom signifie « fleuve du serpent ». Les voitures sont d'origine allemande, bien suspendues et à air conditionné: bref, un matériel roulant de grande classe. Hélas! les rails ont été mal posés et le terrain marécageux cède continuellement sous le poids des convois; les voies s'enfoncent, les cahots infligés aux wagons sont violemment ressentis par les voyageurs. Et à ces inconvénients s'ajoute le peu d'habileté des mécaniciens mexicains. Dans tout le pays, il est reconnu que pas un seul train n'arrive à l'heure. Les retards sont parfois de plusieurs jours. Si parfois un train entre en gare à l'heure indiquée par le « programme » (ainsi appelle-t-on l'horaire), il s'agit vraisemblablement du lendemain du jour prévu. Les chefs de gare restent chez eux, en pyjama et ne se dérangent que lorsqu'un *chico* (un petit garçon) les appelle, un peu avant l'apparition du train. On « sent » que celui-ci approche: il s'annonce par une vibration des rails, visible à l'œil nu; inutile de poser l'oreille sur les voies comme autrefois au Far-West.

Le voyage d'Allende à Mérida est quelque chose d'inoubliable. Les convois — tri-hebdomadaires dans les deux sens — sont normalement composés de deux voitures automotrices. Au moment du départ les voitures sont déjà surchargées: hommes, animaux domestiques aux pattes liées (poules, chèvres, lapins), paquets gigantesques qu'on a beaucoup de mal à faire passer par les portes. La compressibilité des voyageurs mexicains du Sud n'a d'égale que celle des habitants de l'Inde. Les automotrices sont confiées à des mécaniciens qui ne possèdent guère de no-

*Uxmal. Au sommet d'une colline artificielle de 12 mètres,
où a été aménagée une terrasse de 181 mètres
sur 153 mètres, s'élève la construction massive du palais
des Gouverneurs. Les princes Xiu résidèrent dans ce palais
jusqu'à ce que l'occupation espagnole les contraignît
à quitter la ville et à s'installer à Mani,
dans une modeste habitation de paysans.*

Chichén Itza: la masse puissante du « temple des Guerriers »
ou des « Mille Colonnes ». Au sommet d'une petite
colline artificielle, à gauche sur la photo,
on aperçoit le « temple de la Guerre ».

Le « Puits des sacrifices » ou « Cenote » de Chichén Itza. Cette cavité circulaire a un diamètre de plus de 60 mètres. 18 mètres environ séparent le bord du niveau de l'eau, profonde de 10 à 12 mètres. On trouva dans ce puits plus de mille objets appartenant aux victimes immolées.

Les restes du fameux « Palais » de Palenque.

*Guerriers mayas (peinture retrouvée à Bonampak)
devant leur commandant. Aux pieds des guerriers gisent,
blessés, plusieurs prisonniers de guerre.*

tions techniques. Au tiers du voyage, entre deux gares, le convoi s'arrête sans raison apparente. Personne ne s'inquiète. Fatalisme, désintéressement, habitude? Qui sait? Finalement, tous les voyageurs sont invités à s'entasser dans la locomotrice avant. Bien qu'il soit apparemment impossible d'y tenir, on n'abandonne ni un homme, ni un paquet, ni une chèvre. Le train repart. Cinquante kilomètres plus loin, l'intérieur du wagon est envahi par une fumée acide qu'exhalent les moteurs. Arrêt prolongé en pleine nuit, dans l'attente d'un convoi qui devrait arriver en sens inverse, d'Escarcega, 250 kilomètres à l'est. Que se passe-t-il? Le chef de train, tout en allant et venant le long de la voie à la lueur d'une lampe finit par s'expliquer: « *El tren se descompuso* (le train s'est défait). » Avec l'aide de Dieu, bien plus tard, le train arrive à Mérida. A la gare, il y a des Américains du Nord, des calèches noires comme on en voit encore dans les pays où dominèrent les Espagnols, quelques taxis en assez mauvais état. Les routes sont bordées de cabanes en paille, où logent les Mayas de notre siècle, race pauvre, résignée et pleine de dignité. En dépit d'un niveau de civilisation sensiblement inférieur, de nombreux Mayas du Yucatan ressemblent à ceux que représentent les monuments du passé.

Petits et sans Barbe

Plutôt petits, la peau couleur cuivre clair, les cheveux noirs, lisses, les Mayas sont trapus, avec de longs bras, mais des mains et des pieds petits. L'homme mesure en moyenne 1,55 mètre, la femme un peu moins. Leur tête est plutôt grosse, la plus grosse du monde, avec un tour de 85,8 cm pour les hommes et de 86,8 pour les femmes. Il est difficile pour un Européen de trouver un chapeau de paille qui ne lui tombe pas jusqu'aux oreilles. Les dents des Mayas sont blanches et splendides, immunisées contre les caries dentaires. Leur cœur n'a que cinquante-deux pulsations à la minute, alors que le nôtre en a soixante-douze. Ils pèsent à peu près 50 kilos, les femmes légèrement moins. Il est très rare de rencontrer un homme à barbe dans le Yucatan. Ceux qui, par hasard, en ont une, sont très fiers. Autrefois, les mères arrachaient les poils du visage des adolescents. Aujourd'hui ce n'est plus nécessaire.

Bien qu'ayant du souffle, les Mayas ne sont pas sportifs. Ils jouent un peu au ballon, mais mal, sur les terrains herbeux, devant les églises espagnoles qui datent des lendemains de la conquête. Ils ignorent le *dribbling*, espérant dominer l'adversaire par leur seule vitesse. Ils ne donnent pas l'impression d'avoir des réflexes rapides, et ne possèdent pas l'esprit d'équipe.

▶ *Chichen Itza, capitale du nouvel empire des Mayas.
couvre une surface de six kilomètres carrés
avec deux complexes de bâtiments. Mais c'est surtout
dans le Temple de Kukulkan, une pyramide colossale,
que l'on peut voir la puissance d'un royaume
désormais plus absolu que sage. Le symbole prédominant
a Chichen Itza est Quetzalcoatl, le divin Serpent Emplumé.*

On est presque sûr que les Mayas sont originaires du Nord-Est de l'Asie et qu'ils ont atteint le continent américain par le détroit de Bering. Certains de leurs caractères physiques, communs à d'autres groupes d'Indiens américains, le confirment. Le pli que les Mayas d'aujourd'hui ont à l'angle interne des paupières figure sur les visages représentés dans la sculpture et la peinture des temps classiques. Presque tous les nouveau-nés portent la « tache mongolique », à peu près grande comme une fraise, et d'une couleur intermédiaire entre le bleu et le violet. Plus tard, cette tache deviendra grisâtre; au bout d'une dizaine d'années, elle disparaîtra. Comme le taux de la mortalité est très élevée (70 pour 100 de décès chez les enfants de moins de cinq ans) et que 90 pour 100 des individus meurent avant quarante ans, les villages du Yucatan sont habités en majorité par des jeunes. Les mariages se célèbrent entre hommes de vingt-cinq ans et femmes de vingt ans. Un ménage normal élève au moins quatre enfants.

Une civilisation du maïs

Travailleurs infatigables en dépit d'une alimentation qui ne procure pas une ration journalière de calories suffisante (2 500 environ contre 3 500 en moyenne dans les pays occidentaux), les Mayas d'aujourd'hui, qui n'ont plus à servir des seigneurs, à chasser pour ces seigneurs, à élever des pyramides en l'honneur des dieux et des prêtres, disposent de beaucoup de temps libre qu'ils passent en compagnie de leurs amis, au coin des rues ou devant leurs cabanes. Ils parlent lentement, ils ignorent la hâte. Ils consacrent chaque année environ deux mois et demi à la culture du maïs. Après avoir abattu les arbres à la période des pluies, ils les brûlent dès que les premiers rayons de soleil les ont séchés; ils sèment enfin les grains de maïs dans des trous creusés avec un poinçon, comme il y a mille ans. Le sol du Yucatan ne peut être labouré, car seule une légère couche de bonne terre recouvre le sous-sol argileux ou tufacé d'où l'on extrayait jadis la pierre des monuments.

La mode féminine au Yucatan. Dès sa plus tendre enfance la femme maya porte l'habit traditionnel appelé huipil. *Cette veste est en fait une ample chemise, habituellement brodée de motifs floraux. Mais, tandis que les* huipiles *anciens étaient brodés à la main, ceux d'aujourd'hui sont faits en série.*

Bien que les Mayas soient conservateurs dans l'âme, leur langue s'est fortement imprégnée d'espagnol et de toltèque. Leur naturel est joyeux et hospitalier. Ils ont la passion de la plaisanterie et n'admettent pas toujours le Blanc à ce jeu savant. Leurs rires sont bruyants. Dans les régions peu habitées, le rire prolongé de l'autochtone évoque le cri d'une bête sauvage.

Ce petit Indien est le descendant d'un peuple qui créa la plus grande civilisation précolombienne d'Amérique.

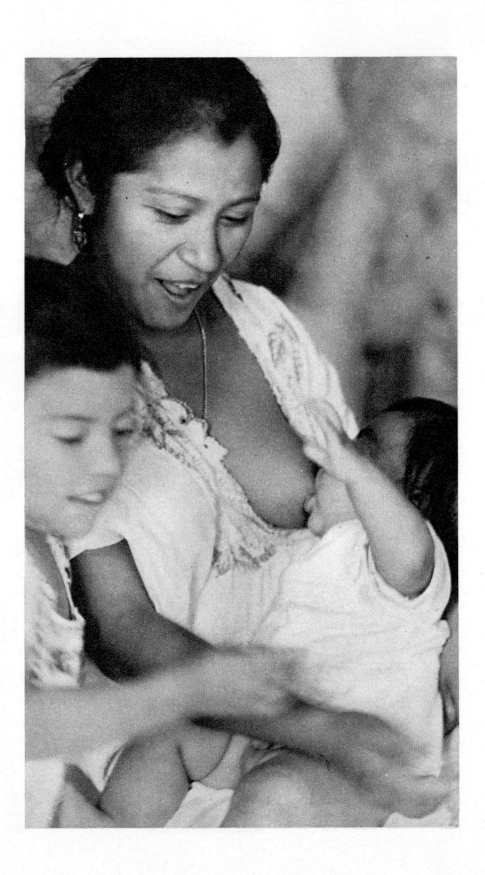

Peu enclins au commandement, les Mayas s'y dérobent plutôt, mais profondément sensibles à leurs propres devoirs et aux droits d'autrui, ils sont prêts à se quereller sans fin quand il s'agit de leur champ. Le dommage causé par des hommes ou des animaux à la propriété, à la *milpa*, déchaîne le Maya plus sûrement qu'une menace à l'unité et à l'honneur de sa famille. On ne tue pas l'amant de la femme; elle peut s'en aller avec lui si elle le préfère à son mari. Et le mari peut la chasser s'il préfère vivre en paix ou s'il a déjà remarqué une autre femme capable de remplacer l'épouse fautive. Mais on ne se marie qu'une seule fois: après quoi les liaisons n'ont pas de sanction officielle.

Peu religieux, les Mayas sont, en revanche, extrêmement superstitieux. Le mardi et le vendredi sont pour eux jours néfastes; les nombres 9 et 13 portent chance. Leur superstition est plus passive qu'active: intervenir est souvent nuisible, ne rien faire est souvent utile. Ainsi, le choix personnel de l'épouse est une chose à éviter. Les intermédiaires sont là pour étudier le caractère du futur mari, ses préférences en matière de femmes et chercher la jeune fille qui correspond à ses aspirations. Ainsi organisées les unions réussissent en général assez bien. La dot de l'épouse est à la charge des parents de l'époux. Mais comme elle est constituée en fonction de la famille de la

Malheur à qui se cherche une épouse

Enfants mayas dans la cour d'une école.

Une famille maya au musée de Guatemala City. Ces visiteurs viennent du Petén, où les femmes, contrairement à celles du Yucatan, portent des lainages aux vives couleurs.

jeune femme, cette dernière est donc choisie généralement dans un milieu moins élevé que celui auquel appartient le mari.

Le territoire sur lequel sont aujourd'hui dispersées les différentes branches de la race maya, ne correspond pas exactement à ce qu'il était dans le passé.

Autrefois, les Mayas habitaient le Petén septentrional, dont Tikal était alors la capitale. Cette région est, à présent, pratiquement inhabitée. Actuellement c'est le Yucatan qui les intéresse davantage. Au fur et à mesure que l'on se dirige vers le nord, de la forêt du Petén, vers la péninsule du Yucatan, la broussaille basse se substitue aux arbres de haute futaie (cèdres d'Espagne, acajous *ceibas*). L'humus étant évidemment meilleur là où la végétation est la plus puissante, le cultivateur de maïs du Yucatan cherche à établir son champ le plus possible à l'intérieur du territoire; cela l'éloigne souvent beaucoup de la localité où il demeure. Il doit parfois parcourir une cinquantaine de kilomètres pour aller à sa *milpa* (le terrain mis en culture après l'incendie de la forêt). Dans ce cas, au lieu de rentrer à son domicile chaque soir, il passera « aux champs » la moitié de la semaine et ne sera chez lui que le reste du temps. Pratiquement les villages sont à moitié vides au moment des incendies de bois et des semailles.

Les « cenotes »

De nos jours, la flore n'est probablement pas répartie comme elle l'était dans les temps anciens. Après avoir traversé la zone broussailleuse, on retrouve brusquement, en remontant vers la mer, une large étendue où reparaît la haute futaie. Enfin la partie nord de la péninsule est peu élevée et plutôt plate. C'est là que l'humus n'a que quelques centimètres au lieu d'un bon mètre dans les forêts du Petén. Une chaine de collines s'étend presque parallèlement à la côte de Champoton à Campêche et de là se dirige vers le sud-est; ce sont les *serranias*, basses, de faible relief, aux approches du Chiapas oriental, qui ont la même altitude sous les hauts arbres de la forêt. Dans les *serranias* du Yucatan, on rencontre de petits puits et quelques maigres ruisseaux. Ce n'est que plus près de la mer que se trouvent les puits appelés *cenotes*. Assez nombreuses, ces citernes naturelles qui, de tout temps, désaltérèrent les Mayas, ont déterminé l'emplacement des collectivités. Ce fut le cas à Chichén Itza.

*Les musées de Guatemala City et de Mexico
ont recueilli des squelettes exhumés des sites mayas.
Ces deux fillettes, nu-pieds, examinent avec curiosité les restes
d'un de leurs lointains ancêtres.*

L'agriculture maya s'adapta très vite au nouveau climat. Les directives fournies jadis par les prêtres, le rituel des semailles et des récoltes, convenaient au pays. Outre le maïs, les Mayas ont toujours disposé de haricots, de tomates, de pommes de terre, de manioc, de citrouilles. La terre du Yucatan leur donna des concombres, des navets, des avocats, des papayes, des oranges, des bananes, des arbres à pain, des arbres à eau, du cacao, du tabac. La forêt contient du petit gibier. Autrefois, elle devait également abriter des cerfs qui, aujourd'hui, ont pratiquement disparu. Les jaguars, ou *tigrillos*, sont aussi moins nombreux que par le passé. En revanche, les serpents abondent et ils sont tous venimeux. Dans l'ensemble « l'habitat » choisi au Yucatan par les Mayas migrateurs se montre plutôt généreux. La plus grande richesse était, et elle est toujours, le maïs. Le Maya le boit, le mange; le maïs lui bourre l'estomac sous forme de *tortillas* et lui monte à la tête sous forme de boisson fermentée.

La dernière reine des Mayas

Des dynasties princières qui assurèrent successivement les destinées de la vie politique maya au Yucatan, la seule qui ait survécu jusqu'à nos jours est celle des Xiu, ou mieux des Tutul Xiu. En 1697 (plus de cent cinquante ans après que les Xiu de Uxmal eurent décidé de s'effacer devant les Espagnols), les Itzas furent exterminés par les troupes placées sous les ordres de Martin de Ursua, gouverneur du Yucatan. Cela se passa dans le Petén septentrional, où ils avaient fui, non loin de Florès, au bord du

Doña Eduarda Xiu est la vieille « reine » maya descendante de la famille qui régna sur le Yucatan.

▼ Un aspect du cimetière de Ticul où sont ensevelis depuis plusieurs générations les descendants des princes Xiu.

◀ Pour la reine sans royaume, une chaumière et de misérables ustensiles suffisent.

Don Antonio Xiu, second fils de doña Eduarda,
a perdu son rang royal. Il n'est plus qu'un simple paysan.
Le voici qui rentre à la maison, portant son fusil et une
hotte pleine du maïs récolté sur la milpa.

lac qui porte aujourd'hui le nom de Petén Itza. Les armées
de la très catholique Espagne se virent contraintes, avant
toute chose, de construire péniblement une route pour atteindre les rives du lac. Elles durent attendre que le terrain inondé redevînt praticable. Enfin — après avoir cru
que les Itzas seraient prêts à traiter et à se soumettre —
elles combattirent. Ursua dut gagner le Petén avec ses
escadrons de cavalerie et, dès les premiers jours de mars
1697, il arrivait devant le camp fortifié, au bord du lac.
Quelques jours plus tard, les derniers Itzas et leurs idoles
étaient définitivement anéantis.

Dans le même temps, les princes Xiu survivaient au
Yucatan, mais disparaissaient complètement de la scène
politique. Etrange destinée que celle de la famille Xiu.
Derniers arrivés au Yucatan, après avoir ébranlé la résistance de Mayapan, fief des Cocom, et mis fin à la Ligue de
Mayapan, les chefs de cette famille connurent une puissance sans limite. Ils avaient même abandonné leur vieille
ville d'Uxmal pour fonder une nouvelle capitale, Mani.
Ah Zuitol Tutul Xiu, le vainqueur de Mayapan, fut com-
paré à Kukulcan, nom maya du Serpent à plumes. Tutul
Xiu, qui traita avec François de Montejo, fut baptisé Melchor Tutul Xiu de Montejo, et devint grand d'Espagne. Il
avait sauvé son peuple grâce à sa prudence. Mais, tandis
que les Itzas, indomptables, périssaient dans le lac de Petén Itza, les princes Xiu devenaient des cultivateurs de
maïs. Du splendide palais des Gouverneurs indépendants
d'Uxmal, la famille se rendit à Mani, dans une maison plus
modeste. Peu de temps après, elle logeait dans une cabane.

Si singuliers qu'aient pu être les précédents historiques
de cette famille, sa destinée future devait l'être encore
davantage. Melchor Xiu se voua à la pacification du Yucatan, convaincu qu'il ne restait plus à son peuple qu'à se
laisser assimiler pacifiquement. Malheureusement, peu
d'années avant qu'il abandonnât la ville de Mani — et
précisément dans cette ville — l'évêque de Landa jeta aux
flammes tous les manuscrits de l'histoire maya. Les
conquérants n'avaient pas tenu compte de beaucoup de
choses, mais leur erreur la plus grave fut celle-ci: ils ne
comprirent pas qu'ils avaient rencontré au Yucatan
le seul peuple précolombien sachant lire et écrire.

Marché à Mani. Les éventaires sont pleins des fruits magnifiques que produit le Yucatan, terre tropicale.

De vieux livres en fumée

L'évêque de Landa raconte les faits avec une candeur qui tend à prouver sa bonne foi: « Nous trouvâmes une grande quantité de livres écrits en hiéroglyphes et comme ils ne contenaient rien qui ne soit pas superstition ou mensonges du diable, nous les brûlâmes tous. » Et, se vouant à la dérision des archéologues du futur, le pieux évêque ajouta cette remarque: « Ce qui causa aux Mayas des regrets stupéfiants et beaucoup de peine. » Le zèle des premiers missionnaires a fait qu'il ne nous reste aujourd'hui que trois manuscrits originaux antérieurs à la conquête. Il en existe peut-être un quatrième, mais ce sont les Xiu qui le gardent. Ainsi le veut la légende populaire, ne nous en étonnons pas. Au temps de l'autodafé des livres sacrés, les Xiu étaient encore à Mani. Pourquoi le prince n'aurait-il pas réussi à arracher à l'évêque de Landa un des livres religieux? Un fait récent est assez révélateur. Un certain Molina, gouverneur du Yucatan, confiant en la version populaire, entama des pourparlers avec don Nemesio Xiu à propos du livre conservé par la famille et proposa à don Nemesio, en échange du volume, plusieurs terres aux alentours de Mérida. Après avoir inspecté l'endroit en compagnie de deux conseillers, le descendant des Xiu fit part de ses desiderata au gouverneur: les terres lui convenaient, mais il voulait qu'on y bâtît une maison moderne à deux étages avec balcons, semblable à celles qui existent aux alentours de Mérida. Le gouverneur accepta. Malheureusement, le consentement d'un organisme financier étant nécessaire, l'opération fut retardée. Pendant ce temps, les deux conseillers de don Nemesio firent tous leurs efforts pour saper la confiance que le descendant des Xiu avait en Molina. Ils répétèrent que Molina était un Espagnol, un membre de la classe dirigeante mexicaine, donc un suspect. Don Nemesio ne devait pas oublier ce que les Espagnols avaient fait à sa famille dans le passé: de princes indépendants, les Xiu étaient devenus grands d'Espagne, puis très rapidement cultivateurs de maïs; d'un palais ils s'étaient retrouvés logés dans une cabane. Pourquoi Molina se priverait-il de promettre des terres et une maison? Une fois le livre en main, il révoquerait l'acte.

Le doute commença à faire son chemin. Un peu avant de mourir, quand il vit que la maison n'était toujours pas sortie de terre, don Nemesio fit dire au gouverneur Molina qu'il craignait de ne plus posséder le livre. Après sa mort l'on ne sut plus rien à ce sujet. Dans l'intervalle, Molina avait été révoqué de son poste.

Le peuple maya est persuadé que le livre est enterré dans la *milpa* des Xiu, à quelques kilomètres de Ticul.

On peut aller à Ticul rendre visite aux princes Xiu. Don Dionisio, l'actuel « roi », s'occupe de la *milpa*. Il y passe parfois une vingtaine de jours. Au moment des récoltes il s'y rend avec toute sa famille car le travail ne manque pas. Le second fils de don Nemesio et de doña Eduarda, don Antonio, fait la navette entre la maison et la *milpa*. Il parle en espagnol de la récolte, de la saison plus sèche que d'habitude, même de cinéma. Les films de guerre américains l'impressionnent; il trouve que les Japonais ressemblent assez aux Mayas, mais en plus gras. On sent qu'il est du côté japonais, pourtant dénigrés dans le film. La chose peut surprendre étant donné la répulsion des Mayas pour la violence. Mais la haine aveugle qu'ils vouent aux Américains du Nord explique tout.

Les pauvres cabanes des villages mayas actuels contrastent avec les somptueux palais et les temples monumentaux de jadis.

▶ Dans la cabane de la « reine » Xiu, à côté de deux vieux fusils, l'arbre généalogique de la noble maison est en bonne place.

Mayas d'aujourd'hui. Les traits du visage sont encore ceux des antiques sculptures, mais les coutumes originales ont dégénéré au contact d'autres civilisations.

La bicyclette rutilante et enrubannée
du second fils de doña Eduarda.

La reine fait la « tortilla »

Doña Eduarda, pour recevoir les étrangers, se fait belle: elle porte un *huipil* blanc enrichi de broderies blanches et un nœud de soie rouge dans les cheveux. Le costume des Mayas, et particulièrement des femmes, ne s'est guère modifié en cent ans. Herrera écrivait: « Les femmes portent une veste semblable à un sac, longue et large, ouverte des deux côtés, en haut, et cousue en bas à la hauteur des cuisses. » C'est le *huipil*, c'est-à-dire une veste blanche en coton, large et tombante, cousue sur la tête. Des broderies de couleur au point de croix garnissent les emmanchures et le décolleté. Mais la mécanisation a fait disparaître le fin travail de broderie à la main: les *huipiles* que l'on peut

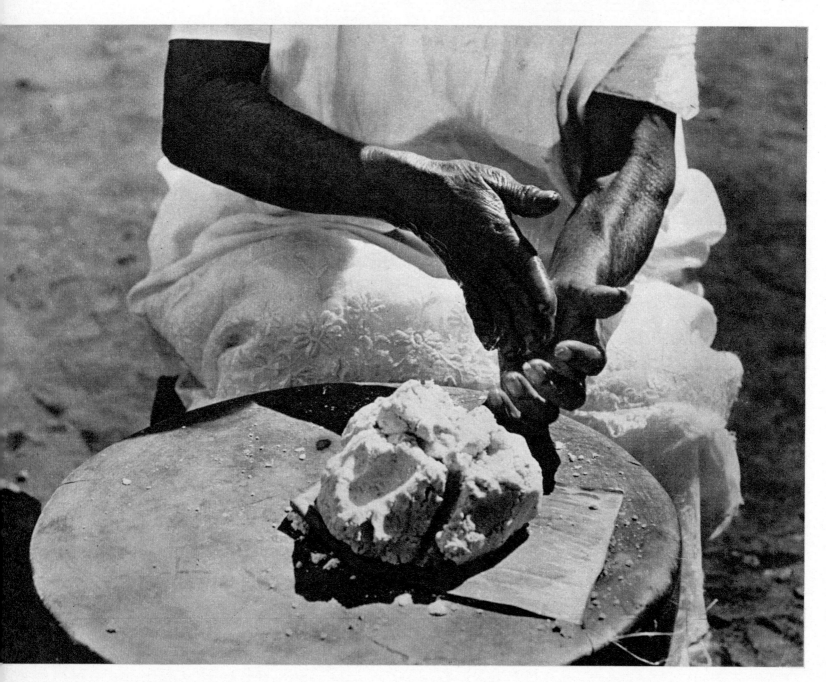

Le maïs est, depuis des temps très anciens, la nourriture de base des Mayas. Pour en faire de la tortilla, *les Indiens d'aujourd'hui se servent des mêmes instruments qu'il y a vingt siècles.*

acheter sur les marchés sont en tissu rude et d'un dessin banal. Voici pourquoi doña Eduarda est vêtue de blanc: son *huipil* est celui d'une reine.

Elle montre comment depuis deux mille ans, la femme maya prépare la *tortilla*; elle sait aussi expliquer l'arbre généalogique des Xiu qui figure, encadré, sur l'une des parois de la cabane; elle offre à boire du maïs fermenté. Son hospitalité est très sensible et discrète. Elle raconte que ses fils préfèrent dormir dans un hamac, mais qu'elle est restée fidèle au lit de bambou. Les conseillers de don Nemesio, ceux qui ont fait échouer l'échange du livre contre les terres et la maison de Mérida, font toujours partie de son entourage. D'après eux, le livre existe bien: « Il a des couleurs que l'on ne voit dans aucun livre actuel », disent-ils. L'espoir demeure pour les savants: que don Dionisio ou ses fils se décident un jour à tout dire. Mais il ne faut pas trop y compter. La propriété de ce volume et l'arbre généalogique sont les uniques richesses de la famille, tout ce qui reste aux Xiu d'un passé de grandeur.

Doña Eduarda Xiu, la « reine », confectionne personnellement les tortillas de sa famille. Prenant un morceau de pâte, elle l'amincit lentement; elle le fera cuire ensuite en plusieurs fois.

Dépôt légal n. 1122 - 4 trimestre 1963

Imprimé en Italie par l'Istituto Geografico De Agostini S.p.A. - Novare

Achevé d'imprimer : Octobre 1963

Photographies de :

Almasy	P. Olwyler
Atlas	Palnic
G. Biraghi	F. Patellani
R. Bosi	L. Pellegrini
G. Brusoni	A. Perissinotto
M. De Biasi	P. Popper
Dimt	S. P. Previde
E. Edlitzberger	Rapho
EPS	F. Rota Borghini
M. Fantin	SEF
E. Hursch	G. Tomsich
O. Langini	Transworld
Olimpia	B. Villaret

Photographies de C. Emmer, du volume "La Peinture
égyptienne" de Skira

*Auteurs des textes originaux
en italien par ordre de chapitres*

Franca Rota Borghini	Federico Patellani
Roberto Bosi	Antonello Perissinotto
Carlo Munari	Sandro Prato Previde